GIANT BOOK OF
SUDOKU

601 puzzles
Plus 20 Super Sudoku puzzles!

GIANT BOOK OF
SUDOKU

601 puzzles
Plus 20 Super Sudoku puzzles!

Oceana

AN OCEANA BOOK

This book is produced by
Quantum Publishing Ltd
6 Blundell Street
London N7 9BH

ISBN 0-681-06734-9

QUMS210

Printed in Canada by
Transcontinental Inc.

contents

introduction

Sudoku is a puzzle that is played on a nine by nine grid, which initially has some squares that contain numbers (the givens). The objective is to complete the grid in such a way that the digits 1 to 9 appear only once in each row, each column, and each block.

Sudoku has become the latest puzzle craze to sweep its way across the globe; indeed, there has been no other puzzle more popular since the Rubik's Cube of the 1980's. And, like the cube before it, Sudoku is transcending national boundaries to enjoy worldwide popularity and now looks set to become the most popular puzzle of all time. So, you may be wondering, what are the origins of this extraordinary puzzle phenomenon?

The answer to this query is that way back in the 1970's a New York magazine by the name of *Maths Puzzles and Logic Problems*, published by Dell, printed a new puzzle called *Number Place*. At that time it was just one of many problems to appear in the specialist magazine. Unfortunately, the name of the puzzle's creator does not appear to have been recorded, although it has been suggested that, in all likelihood, it was a man named Walter Mackey, who was one of the magazine's puzzle creators.

In 1984, Japanese publisher Nikoli discovered the Number Place puzzle in the American magazine and decided to publish it in the April issue of its Monthly title *Nikolist*. Initially, the puzzle was called "Suuji wa dokushin ni kagiru," which literally translates to "number is restricted to singletons only." It was not long before the name was abbreviated to the more catchy "Sudoku", which is formed from "su," meaning number and "doku," meaning single. Nikoli further enhanced the puzzles by ensuring that each one was designed in such a way that it contained rotational symmetry in the placing of the given numbers.

The story of Sudoku would have ended at this point if it were not for an enthusiastic New Zealander by the name of Wayne Gould, who saw the puzzle in a Japanese bookshop in 1997. Mr Gould, a retired Hong Kong judge, was so captivated by the puzzle that he wrote a computer program, over a six-year period, that was designed to generate puzzles. In 2004, he took his laptop to the offices of The Times newspaper in London and, without an appointment, managed to persuade the powers that be to publish his puzzles on a daily basis. Of course, in a competitive market where editors are constantly looking to boost circulation figures, it was only a matter of days before the other national newspapers in the UK began publishing their own Sudoku puzzles. From then on, the popularity of the puzzle began to snowball. It spread by word of mouth between friends and colleagues and was picked up and propagated by the broadcast media. In a very short space of time the puzzle's popularity in the UK was being matched in other countries around the world. So, why has it become so popular?

In addition to being fun and challenging, one of the main reasons for Sudoku's huge success is that it is so easy to play. Some people are put off from playing Sudoku because they think it involves math, but this isn't the case. In fact, the only knowledge you need to be equipped with is the numbers 1 to 9—the rest is down to logic and persistence.

As already stated, the idea is to complete a grid so that each row, each column, and each block contains the numbers 1 to 9. You do this by using the givens to logically deduce where to place the missing numbers. For instance, if one of the 3x3 blocks requires a 1, you must look at the rows and columns that intersect the block to help you determine where to place it. If one of the rows that intersects the block already contains a 1, then you know that you must place the number elsewhere within the block. Through logical steps like this, you eventually deduce the correct position for each number.

Symmetrical Sudoku—The 10 symmetrical puzzles in this book follow exactly the same principles as normal Sudoku puzzles—the only difference being that the given numbers are arranged in a symmetrical formation. It is important to know that it is only the given numbers that are arranged symmetrically; the numbers you add will not be symmetrical and should be placed where logic dictates.

Super Sudoku—The 20 Super Sudoku puzzles that feature in this book are a fun and challenging variation on traditional Sudoku. Played on a 16 x 16 grid, each row, column, and block must contain the numbers 0 to 9 and the letters A to F.

how to solve sudoku puzzles

There are a number of ways of visualising a Sudoku puzzle. You can view it as nine rows of squares, as nine columns of squares, or as nine blocks of squares. The thing to bear in mind, however, is that the number that appears in any particular square is the only occurrence of that number in the row, column, and block that incorporate that square.

For example, consider diagram 1 below and note that the number N can only appear once in the row, column, and block indicated by the shading. Each of the remaining squares of the puzzle is subject to a similar constraint and the area defined by the shading is known as a region.

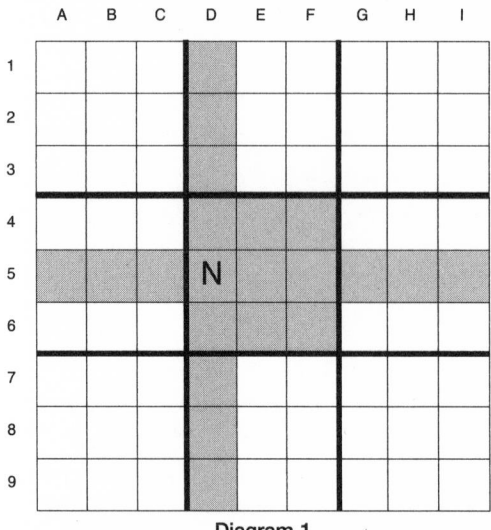

Diagram 1

We know from the rules of the puzzle that each digit from 1 to 9 must appear only once in each block, and that gives us a useful starting point. By looking at any block it can be noted that there are always four other blocks whose numbers will have an impact upon the block that we are considering. There will be two blocks horizontally and another two vertically.

One way in which to tackle a puzzle is to start off by considering the position of the missing 1's while viewing the board as blocks. By way of an example, consider the puzzle (diagram 2) on the opposite page.

	A	B	C	D	E	F	G	H	I
1			1			3		4	2
2		6	7			2		8	
3	8			9				5	
4		8	5	1	3			2	
5		2		6		8		3	
6		3			9	5	1	6	
7		5				9			3
8		7		3			4	1	
9	4	1		8			2		

Diagram 2

Let's look at where a 1 can be placed in the shaded bottom center block. The four blocks that will have an impact on the block we are considering are the two above it and those that lie to the left and right. In this instance, the top center block does not have a 1, which means that it will not affect our reasoning at this point.

Looking at the bottom center block, we can see that a 1 cannot be placed on either the bottom or middle rows because of the positions of the 1's in the blocks to the left and right. The middle block has a 1 in the leftmost column (square D4) that further limits the placing of the 1 in the bottom center block. In this particular case, by process of elimination, it can be seen that there is only one square (E7) in which a 1 can be placed and this is defined by the position of the 1's in the three adjacent blocks.

Things don't always work out in such a straightforward manner and sometimes it is not possible to identify the exact square in which a number should be placed. In these circumstances, however, the options can usually be limited to a small number of squares.

To illustrate this, look at the top left block of diagram 2, and this time let's consider where the 4 should go. As always, there are four blocks that will have an impact on the block we are considering and these are the two to the right of it and the two below it. Note that on this occasion the number 4 appears in the top right and bottom left blocks (in H1 and A9 respectively) and we can only use these two blocks to assist in placing the number 4.

The position of the 4 in the bottom left block means that a 4 cannot be placed in the column A of the top left block. Similarly, the position of the 4 in the top right block rules out row 1 of the top left block. This leaves just two possibilities (B3 and C3), which we should make a note of at this stage to help us out later on.

9

There are several ways of making notes, the first and most obvious way being to write the digit into the squares with a pencil using small handwriting. If you make notes in this way you will need to ensure that your writing is small but legible. But this isn't the only way to make notes.

The second way in which people make notes is by using dot notation, whereby the position of the dot indicates the value of the digit.

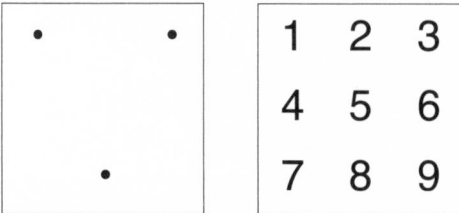

For example, a dot in the top left corner of a square indicates 1, while a dot in the top right corner represents a 3 and a dot in the bottom middle represents an 8. This is particularly useful when you are solving puzzles that are printed with a small grid, but it may take a little time to become accustomed to the technique.

A third, less commonly used way of making notes is to write the candidate numbers into a grid on a separate sheet of paper. Which method you use is a matter of personal choice but, as you will see shortly, it is extremely useful to make notes of candidate numbers.

There are several different methods of solving Sudoku puzzles and no one strategy is viewed as being the best. The method that I will show you in this book works as follows.

Starting with the top left block, work through the digits from 1 to 9 and try to find where each number should be placed. If it is not possible to determine the exact location, make a note in the square(s) where the digit might be placed. Once this has been done you will have filled some squares with deduced digits and the remaining ones will contain candidate numbers.

At this point it is usually possible to apply some logical reasoning as described in the list of rules that follows. It is worth noting that the reasoning about candidate numbers cannot be applied to a block until all of the digits have been searched for. Beyond that, it does not matter which order you apply the logic.

Having fully examined the top left block and applied reasoning about the candidate numbers, we can evaluate each of the remaining blocks in the same way until the puzzle is completed.

One point worth remembering is that the candidate lists should be kept up-to-date. So, when you manage to deduce numbers, it is crucial to delete the relevant candidates from related squares.

Rule 1—Missing Numbers

The simplest piece of logic is that if any row, column, or block only has one square left to be filled in then it should be obvious which number is missing.

Rule 2—Single Candidates

If a square has only one candidate number then the square must contain that digit. Look at the example puzzle below, which just shows the given numbers together with all of the candidate digits. It can be seen that there are several squares that fit this criteria and whose values can be easily deduced.

	A	B	C	D	E	F	G	H	I
1	59	9	**1**	57	5678	**3**	679	**4**	**2**
2	359	**6**	**7**	45	145	**2**	39	**8**	19
3	**8**	4	234	**9**	1467	1467	367	**5**	167
4	679	**8**	**5**	**1**	**3**	47	79	**2**	479
5	179	**2**	49	**6**	47	**8**	579	**3**	4579
6	7	**3**	4	247	**9**	**5**	**1**	**6**	478
7	26	**5**	268	247	12467	**9**	678	7	**3**
8	269	**7**	2689	**3**	256	6	**4**	**1**	5689
9	**4**	**1**	369	**8**	567	67	**2**	79	5679

Diagram 3

For example, in the top left block the positions of the 4 and 9 are obvious. Also, once the candidate numbers in the region of the 9 have been crossed out it can be seen that the top left square (A1) fits this rule and resolves to the number 5.

Rule 3—Unique Candidates

If there is a square that contains a candidate number that does not appear as a candidate in any other square of a row, then you have found the missing number for that square.

Take a look at the candidate numbers in row 3 of diagram 3. If you look carefully you will notice that there is only one square (C3) that contains 2 as a candidate. Since each row must contain all of the digits from 1 to 9, and there is only one square in which 2 is a candidate, then we can deduce that the value for the square in question must be a 2. This rule holds true for columns and blocks as well as rows.

Rule 4—Linked Pairs

On occasion, you may notice that in a row there are two squares that contain the same two candidate numbers. While it is not immediately apparent which digit should go into which square it is possible to reason that no other square in the row can contain these two digits. This rule can also be applied to columns and blocks.

As an illustration, look at the center block of diagram 3. There are two squares (E5 and F4) whose candidate numbers are 4 and 7, while the remaining square (D6) has candidates of 2, 4 and 7. While we don't know the precise placing of the numbers 4 and 7 in the first two squares we can eliminate these digits from the square D6, leaving us to conclude that it should contain the number 2.

Rule 5—Linked Triples

Appearing less frequently, linked triples occur when there are three squares that contain the same three candidate numbers. When you spot them, it can be reasoned that the numbers concerned cannot be allocated to any other square in the row, column, or block in which the triple occurs. Hence it is possible to remove these numbers from the candidate lists of the remaining squares in the row, column, or block concerned.

The above rules are sufficient to solve any sudoku puzzle that does not force the solver to make guesses in achieving the solution. However, it should be noted that puzzles that require guesses to be made do exist (though only in the very difficult section in this book) and these require the following approach.

Rule 6—Trial and Error

For most puzzles you will never need to take this route and you should avoid it at all costs. Instead, if you find that you cannot proceed any further with a puzzle, you should work through the grid, one square at a time, trying rules 1 to 5 and re-evaluating the candidate numbers. If you still cannot spot any fresh leads continue in faint pencil and use trial and error (if you use pencil normally, ensure that you write the trial and error numbers in a fainter shade to the others). Or, if you prefer, photocopy the puzzle or draw a duplicate.

Start by picking a square that has a small number of candidates and select the first of these digits. Write this number into the square then continue to evaluate the puzzle until it is complete or until you reach a contradiction that would force you to duplicate a number in a row, column, or block. If a contradiction occurs erase the trial and error numbers, or make another copy, and select the second candidate number from your chosen square and try again. Continue this process until you solve the puzzle.

Only some of the very difficult puzzles in this book will require an element of trial and error. The others should be solvable through logic alone.

solving a sudoku puzzle —a step-by-step guide

As an exercise, let's work through a puzzle to see how the methodology described in the previous section works in practice. At this point you might like to make a photocopy or draw a duplicate of the puzzle (diagram 1) below so that you can complete each step of the tutorial. I would also advise that you to use a pencil as there will be some rubbing out to be done in the process.

As with every puzzle there are two phases in finding the solution. First, for each block, we will try to establish which squares contain 1's, 2's and so on up to the 9's. As part of this process, where it is not possible to place a number with certainty, we will construct lists of candidate numbers for each square. The second phase is simply to examine the candidate numbers and to apply logic in order to reduce the possibilities until we reach the final solution.

It is worth noting that every time a number is placed into the grid it is usual to examine the candidate lists of the other squares in the associated region. The reason for this is that it is sometimes possible to make further deductions. Rather than remind you to do this every time a number is entered, the following text will guide you through the additional logic only when it is a necessary part of the solution.

	A	B	C	D	E	F	G	H	I
1	8			5	7				4
2		1	4			9			
3	2	3					8		
4		8		3	2			9	
5	1		7		8		2		3
6		9			4	6		5	
7			6					2	7
8					7		5		
9	7				6	3			9

Diagram 1

Top Left Block

Because there is a 1 in square A5 and each column can only contain one instance of this number, we can conclude that A2 cannot contain a 1. There are no other clues to help identify where a 1 should be placed in the top left block, so we must add 1 to the candidate lists for the other empty squares in this block (i.e. B1, C1, B2 and C3).

The next number to look for is 5 because the digits 2, 3, and 4 are already shown as givens. Row 1 can be ruled out as there is a 5 in square D1, and without any further clues we must add 5 to the candidate lists of squares A2, B2, and C3.

Looking down column C, there is a 6 in C7, which means we can exclude all the squares in column C that form part of the top left block. Again we have run out of clues, so we add 6 to the lists of B1, A2, and B2.

In the case of the 7, we can eliminate row 1 because of the 7 at E1, together with columns A and C, which contain 7's in squares A9 and C5 respectively. This leaves only one square where the digit 7 can be placed and we are able to write this number into the grid at B2.

Because there is already an 8 in the top left block we now have to work out where the 9 might go. Square F2 contains a 9, so this number cannot be placed in A2. Similarly, B1 cannot contain a 9 because of the contents of square B6. Hence we are left with two possibilities for a 9, which are C1 and C3, so we add 9 to the candidate lists for these squares.

Having examined the top left block the grid now look like diagram 2 (below).

	A	B	C	D	E	F	G	H	I
1	8	16	19	5	7				4
2	56	7	4			9			
3	2	3	159				8		
4		8		3	2			9	
5	1		7		8		2		3
6		9			4	6		5	
7			6					2	7
8				7			5		
9	7				6	3			9

Diagram 2

Top Middle Block

There are no clues that will help us to find the 1, which means that we should add 1 to the candidate lists for each unfilled square (i.e. F1, D2, E2, D3, E3, and F3).

When we consider where the 2 should go, there are two clues in the form of the 2's in squares A3 and E4, which rule out row 3 and column E respectively. Therefore, there are two possibilities and we can add 2 to the candidate lists of squares F1 and D2.

Looking at the positions of the 3's in related blocks we can see that this number already exists in columns D and F (at D4 and F9), so we can eliminate these two columns. There is also a 3 in square B3, which further reduces the possibilities by ruling out row 3. This leads to the conclusion that a 3 must appear in square E2.

Moving on to consider where the 4 should go, it is possible to conclude that it will not be in rows 1 or 2 because these rows already contain 4's in squares I1 and C2. There is a further 4 in square E6, which means that a 4 cannot go into E3. Hence there are two remaining options and we must add 4 to the candidate lists for D3 and F3.

Since there is a 5 as one of the givens for the top middle block we can look for the location of the number 6. Both columns E and F contain this number at E9 and F6 respectively, which means that we can rule out these columns. We can therefore conclude that a 6 either goes in D2 or in D3, so we add 6 to the candidate lists for these squares.

Next we need to find the 8, since there is already a 7 in the block. By looking at the top left and top right blocks it is possible to conclude that an 8 must be placed into square D2. The reason for this is that there are 8's in A1, G3, and E5, which eliminates the possibility of placing an 8 in rows 1 and 3 and column E.

Having worked through all of the digits 1 to 9 it is now possible to make further deductions by applying logic to the candidate numbers in the top middle block. By doing so we can deduce all of the remaining numbers in this block.

Square E3 contains a single candidate and must therefore contain the digit 1. We can now remove this number from the lists in the region of E3, namely F1, C3, D3, and F3. Having done so, the list in F1 has been reduced to a single candidate and we can enter 2 into this square. Similarly, F3 also contains a single candidate and we can write in the number 4. In this case we also need to cross out the number 4 from the list at D3, since it lies in the region of F3. Now there is a missing number at D3 and we can see from the candidate list that this must be the number 6.

At this point the grid should look like diagram 3 (right).

	A	B	C	D	E	F	G	H	I
1	8	¹⁶	¹⁹	5	7	2			4
2	⁵⁶	7	4	8	3	9			
3	2	3	⁵⁹	6	1	4	8		
4		8		3	2			9	
5	1		7		8		2		3
6		9			4	6		5	
7			6					2	7
8					7		5		
9	7				6	3			9

Diagram 3

Top Right Block

There are two clues to help us place the number 1 in the top right block. The first being that there is a 1 in square E3, which eliminates row 3. Although there are no more definite occurrences of the number 1, there is an insight that can be made by examining the candidate numbers in the top left block. Here we see that the number 1 appears as a candidate in B1 and C1.

Because 1 does not appear as a candidate in any other square in that block it is possible to conclude that the 1 in the top left block must occur in row 1. Now that we know this, we can say that a 1 cannot appear in row 1 of the top right block; hence the only places in the top right block where a 1 could appear are G2, H2, and I2, which means that we must add 1 to the candidate lists of these squares.

Fortunately, locating the 2 is somewhat easier, since we can rule out columns G and H because they contain 2's at G5 and H7. There is also a 2 in square A3, which eliminates row 3, leaving us to conclude that the top right block contains a 2 in I2.

When it comes to placing the number 3, both E2 and B3 contain this number, so a 3 cannot be placed in either row 2 or row 3. This leaves G1 and H1, and we have to add 3 to the candiate lists of these squares.

Next, because there is already a 4 in the block, we need to find where the 5 should go. Columns G and H both contain a 5 (at G8 and H6), which leads us to the conclusion that square I3 must contain a 5.

Now considering the position of the 6, there is a 6 in D3, which means that a 6 cannot go into H3. Without any more 6's to help it is not possible to make more deductions. Hence we must add 6 to the candidate lists of squares G1, H1, G2, and H2.

Considering the position of the 7 we can see that there are 7's in squares E1 and B2, which means it is not possible to place this number in any other squares in rows 1 or 2. This leaves just one place where a 7 can go and we can write this digit into H3.

Since the top right block contains an 8 we can now look for the 9. There is a 9 in square F2, which means that we can rule out row 2. There is another 9 in H4, which rules out column H. From this information we can conclude that square G1 must contain a 9.

At this point there is some interesting logic that can be applied by examining the candidate lists in the region of G1. Square C1 includes the number 9 as a candidate, which we can now cross out. The reason for this is that it is not possible to have two 9's in the same row and we know that G1 definitely contains a 9. Having made this alteration we can now see that the top left block only has one possible location for a 9 and we can write this into C3.

Further examination of the top left block reveals that there is a single candidate in C1 and we can write the number 1 in this square. The only candidate list in the region of C1 that needs to be updated is for square B1. By crossing out the 1 in B1 we have created another single candidate and it is now possible to deduce that 6 must go into B1. Now we must update the lists in the region of B1, which means that we must cross out the number 6 from the candidate lists in A2 and H1. In the top left block there is now only one square to be completed and it should be obvious that A2 must contain the number 5.

Returning to the top right block we can see that there is a single candidate in H1, so we can write 3 into this square. The two remaining squares (G2 and H2) form a linked pair because they both contain the same two numbers in their candidate lists. However no further deductions can be made until more numbers reveal themselves in the two blocks below this one.

The grid should now look like diagram 4 (right).

	A	B	C	D	E	F	G	H	I
1	8	6	1	5	7	2	9	3	4
2	5	7	4	8	3	9	16	16	2
3	2	3	9	6	1	4	8	7	5
4		8		3	2			9	
5	1		7		8		2		3
6		9			4	6		5	
7			6					2	7
8					7		5		
9	7				6	3			9

Diagram 4

Middle Left Block

Examining the middle left block we can see that there is already a 1, which means we begin our search by looking for the position of the 2. Because there is a 2 in row 4 (at E4) and another one in row 5 (at G5) we can eliminate rows 4 and 5. The search is further reduced because the 2 in A3 rules out A6, leaving us to conclude that a 2 must go in square C6.

Similarly, there is a 3 in row 4 (at D4) and another in row 5 (at I5), which means that there must be a 3 in square A6.

Next, looking for the 4, we can rule out C4 because of the contents of C2, which lies in the same column. Because there are no further useful clues we can conclude that a 4 must go in A4 or B5, so we add 4 to the candidate lists for these squares.

The 5 in column A (at A2) means that a 5 cannot be placed in square A4. Again there are no more clues, so we must add 5 to the lists of squares C4 and B5.

With regard to placing the 6, we can say that it will not lie in columns B or C because there are 6's in these columns at B1 and C7 respectively. This leaves only one place where we can write a 6 and that is in square A4.

	A	B	C	D	E	F	G	H	I
1	8	6	1	5	7	2	9	3	4
2	5	7	4	8	3	9	16	16	2
3	2	3	9	6	1	4	8	7	5
4	6	8	5	3	2			9	
5	1	4	7		8		2		3
6	3	9	2		4	6		5	
7			6					2	7
8				7			5		
9	7				6	3			9

Diagram 5

Because the middle left block already contains the numbers 7, 8, and 9 we can now perform some logical reasoning in relation to the candidate numbers in this block. There are only two squares left to fill and it should be obvious that C4 must contain 5, as this is a single candidate. Having written in this number, we can now see that B5 must contain the number 4 and we can therefore complete the block, which now looks like diagram 5 (left).

Center Block
Looking at the center block, there is only one occurrence of the number 1 in the adjacent blocks to help us define where we can place a 1. Hence we can rule out row 5, because of the 1 at A5, leaving us to write 1 into the candidate lists of squares F4 and D6.

Because the numbers 2, 3, and 4 are provided as givens for this block we can move on to search for the 5. Examining the blocks to the left and right we can see that a 5 cannot occur in rows 4 or 6 because of the 5's that are already in these rows at C4 and H6. Because there is a 5 in square D1 we know that it is not possible to write another 5 into D5, since doing so would mean that there would be two 5's in the same column. This leads to the conclusion that a 5 must go into F5.

There is already a 6 in the center block, so next we must search for the 7. Looking at the bottom middle block we can see that there is a 7 in D8, meaning that we cannot place a 7 in D5 or D6, which lie in the same column. Having eliminated two of the 3 empty squares we conclude that a 7 must go into square F4.

Next, because the block already contains an 8, we consider where the 9 should go. There are only two possibilities and we can rule out D6 because there is already a 9 in row 6 (at B6). Therefore we can put a 9 into D5.

Now that all the digits from 1 to 9 have been considered we can seek to make further deductions in the block. There is only one square left which does not contain a number and we can see straight away from the candidate list that D6 must contain the number 1. Now that we have completed the center block the partial solution for the puzzle looks like diagram 6 (right).

	A	B	C	D	E	F	G	H	I
1	8	6	1	5	7	2	9	3	4
2	5	7	4	8	3	9	16	16	2
3	2	3	9	6	1	4	8	7	5
4	6	8	5	3	2	7		9	
5	1	4	7	9	8	5	2		3
6	3	9	2	1	4	6		5	
7			6					2	7
8				7			5		
9	7				6	3			9

Diagram 6

Middle Right Block

First we need to work out where the 1 should go and, in the case of the middle right block, there are two clues. The number 1 already appears in rows 5 and 6 in squares A5 and D6 respectively. This leaves two possibilities, so we must add 1 to the candidate lists of squares G4 and I4.

Next, because the block already contains the numbers 2 and 3, we need to consider where the 4 may be placed. We can see that both rows 5 and 6 contain 4 at B5 and E6, which means we can eliminate these rows from the block. There is also a 4 in square I1, which means that a 4 cannot appear in I4 because these squares lie in the same column. This leaves just one square (G4) that must contain the number 4.

Number 5 is a given number, so we can now consider where the 6 should go. Both rows 4 and 6 contain this number (at A4 and F6), which leaves only H5. But we also need to update the candidate list at H2 by crossing out the 6.

In searching for the location of the 7, we can see that the contents of I7 rule out placing a 7 in column I. This eliminates two of the three empty squares, leading us to conclude that a 7 must go into square G6.

Now we must seek to place the number 8 in one of the two remaining squares. Because row 4 already has an 8, in square B4, we can deduce that square I4 cannot contain an 8 as well. This means that I6 must therefore contain an 8.

The middle right block already contains a 9. which means we have completed the search for the numbers 1 to 9 in this block and we can now look at the candidate numbers to make further deductions. There is only one empty square in the block and we can see from the candidate number that I4 must contain the number 1.

At this point we can also go back to look at the top right block. When we entered 6 into the middle right block we also updated the candidate list of square H2 by removing the number 6. H2 now only has one candidate number, so we know that this square must contain a 1. By examining the region of H2 we can see that we should remove 1 from the candidate list of G2. In doing so, the list is reduced to a single candidate and we can conclude that G2 must contain the number 6. The grid now looks like diagram 7 (right).

	A	B	C	D	E	F	G	H	I
1	8	6	1	5	7	2	9	3	4
2	5	7	4	8	3	9	6	1	2
3	2	3	9	6	1	4	8	7	5
4	6	8	5	3	2	7	4	9	1
5	1	4	7	9	8	5	2	6	3
6	3	9	2	1	4	6	7	5	8
7			6					2	7
8				7			5		
9	7				6	3			9

Diagram 7

Bottom Left Block

Starting off by considering the position of the 1 we can see that there are only two clues. There is a 1 in square A5 and another in C1, which means that a 1 cannot be written into column A or C. There are no other clues, so we must add 1 to the candidate lists of squares B7, B8, and B9.

Moving on to the next number, we can see that a 2 cannot be placed in column A or column C because they already contain 2's at A3 and C6. There is another 2 at H7, which means we can say that a 2 cannot appear in row 7. Hence there are two possibilities and we must add 2 to the candidate lists of squares B8 and B9.

In looking to place the 3, we can eliminate columns A and B, which already contain this number in squares A6 and B3. The options are further reduced because of the 3 in F9, which rules out C9. Therefore square C8 must contain a 3.

In the case of the 4, we can rule out placing it in column B because there is a 4 at

B5. There is also a 4 in C2, which means we can eliminate column C. This leaves two possible locations, so we add 4 to the candidate lists of A7 and A8.

There are three clues with regard to the 5. The 5's in squares A2 and C4 rule out columns A and C, while the 5 in square G8 eliminates row 8. This leaves two possibilities at B7 and B9, so we add 5 to the candidate lists of these squares.

Both 6 and 7 are provided for the bottom left block, which means we can move on to consider the position of the 8. Because there is an 8 in both columns A and B (at A1 and B4) we know that an 8 cannot be placed in either of these columns. This leaves C9 as the only place in which it can go.

Finally, for this block, we consider where the 9 should be written. Since there is only one useful clue, in the form of the 9 in B6, we can only rule out column B. We must therefore add 9 to the candidate lists of squares A7 and A8.

At this point, there are no further useful observations that can be made and the grid looks like diagram 8 (right).

	A	B	C	D	E	F	G	H	I
1	8	6	1	5	7	2	9	3	4
2	5	7	4	8	3	9	6	1	2
3	2	3	9	6	1	4	8	7	5
4	6	8	5	3	2	7	4	9	1
5	1	4	7	9	8	5	2	6	3
6	3	9	2	1	4	6	7	5	8
7	49	15	6					2	7
8	49	12	3	7			5		
9	7	125	8		6	3			9

Diagram 8

Bottom Middle Block

Starting off by looking for the 1, we note that there are 1's in columns D and E, located in squares D6 and E3 respectively. This leaves two possibilities—either a 1 should be placed in F7 or in F8. Since we cannot make any further deductions we must add 1 to the candidate lists in both these squares.

With respect to the number 2, squares E4 and F1 contain this number, so it is not permissible to place a 2 in column E or F. There is also a 2 in square H7, which means that D7 cannot also contain a 2 because these squares lie in the same row. Since square D9 is the only place that a 2 can be placed we write this number into D9. Having done this we must assess the impact upon the candidate list in the region of D9. The candidate list for B9 contains a 2, so we must remove it from the list.

Since the bottom middle block already contains the number 3 we can move on to consider where the 4 should be placed. Columns E and F both contain a 4 (at E6 and F3), which means that we cannot place a 4 in these columns. This leaves D7 as the only place to write in the number 4. Again, we need to consider the region that is affected by this deduction. The candidate list for square A7, which lies in the region of D7, contains a 4 and we can now remove this number from the list.

There are two clues with regard to placing the 5. Firstly, there is a 5 in F5, which eliminates column F; and secondly there is a 5 in G8, which rules out row 8. Hence we can conclude that a 5 should be written into square E7. Looking at the region of E7, there is a 5 in the candidate list of B7. This can be crossed out because we know that row 7 now contains a 5 at E7.

In the bottom middle block, numbers 6 and 7 are both provided, so we can now consider the 8. There is only one useful clue, which takes the form of the 8 located in square E5. This means that an 8 cannot be placed in column E and we must therefore add 8 to the lists in F7 and F8.

In considering the 9, we can rule out column F because there is already a 9 in square F2. This has eliminated two of the three remaining unfilled squares and leads to the conclusion that E8 must contain the number 9.

Having considered the positions of the digits 1 to 9 in the bottom middle square we can now attempt to make further deductions by examining the candidate numbers. In this case, there is a linked pair in squares F7 and F8. Both squares contain the numbers 1 and 8 in their lists but unfortunately this information is of little consequence at this point.

However, we can go back to the bottom left block to see what logic can be applied there. Doing so reveals that there is a single candidate in A7, which means that this square must contain the number 9. By updating the candidate lists in the region of A7 we remove the 9 from the list at A8. This results in a single candidate and we can write the number 4 into A8.

There is also a single candidate in B7, so we can write 1 into this square. Examining the region for B7, we can see that the lists in F7, B8, and B9 contain the number 1, which means that we should remove this number from each list. In doing so, we reduce the candidate lists of B8 and B9 to one number each. Hence we can complete the bottom left block by writing the number 2 into square B8 and the number 5 into B9.

Returning to the bottom middle block, F7 now has a single candidate and we can conclude that this square must contain an 8. We can further deduce that square F8 must hold the number 1 because it cannot be an 8.

Having completed the bottom middle block the grid now looks like diagram 9 (right).

	A	B	C	D	E	F	G	H	I
1	8	6	1	5	7	2	9	3	4
2	5	7	4	8	3	9	6	1	2
3	2	3	9	6	1	4	8	7	5
4	6	8	5	3	2	7	4	9	1
5	1	4	7	9	8	5	2	6	3
6	3	9	2	1	4	6	7	5	8
7	9	1	6	4	5	8		2	7
8	4	2	3	7	9	1	5		
9	7	5	8	2	6	3			9

Diagram 9

Bottom Right Block

Now that all of the other blocks have been completed there are sufficient clues to find all of the remaining numbers in the final block.

It is possible to conclude that the 1 does not lie in columns H or I because of the 1's at H2 and I4. Neither does it lie in row 7 because of the 1 at B7, leaving only G9.

The 2 is a given number, so we move on to consider the 3. Columns H and I both contain 3's at H1 and I5, which leaves square G7 as the holder of the 3.

The 4 cannot be placed in row 8 because there is already a 4 at A8. Therefore we must write 4 into square H9.

Since the 5 already exists in the block we now consider the 6. Because there is a 6 in column H (at H5) we can eliminate H8, which means I8 must contain 6.

Finally, we have an example of a missing number and we can deduce from the other numbers in the block that it must be 8.

The complete solution is shown in diagram 10 (left).

	A	B	C	D	E	F	G	H	I
1	8	6	1	5	7	2	9	3	4
2	5	7	4	8	3	9	6	1	2
3	2	3	9	6	1	4	8	7	5
4	6	8	5	3	2	7	4	9	1
5	1	4	7	9	8	5	2	6	3
6	3	9	2	1	4	6	7	5	8
7	9	1	6	4	5	8	3	2	7
8	4	2	3	7	9	1	5	8	6
9	7	5	8	2	6	3	1	4	9

Diagram 10

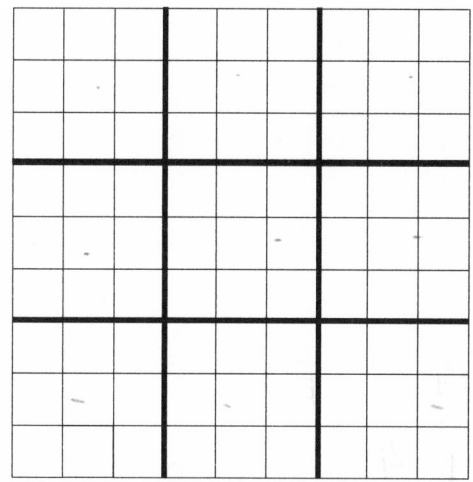

1

6	7	4	9	2	1	5	8	3
3	1	9	8	6	5	7	2	4
8	5	2	4	7	3	9	6	1
7	2	8	5	9	4	3	1	6
1	9	6	2	3	7	8	4	5
4	3	5	6	1	8	2	9	7
9	8	3	7	4	6	1	5	2
2	4	7	1	5	9	6	3	8
5	6	1	3	8	2	4	7	9

2

6	9	3	1	4	2	8	5	7
5	1	4	3	7	8	9	2	6
2	8	7	9	5	6	4	3	1
9	6	5	2	8	3	1	7	4
4	3	2	6	1	7	5	8	9
1	7	8	5	9	4	3	6	2
7	4	6	8	3	1	2	9	5
3	2	9	4	6	5	7	1	8
8	5	1	7	2	9	6	4	3

3

9	2	5	4	3	1	8	6	7
8	1	7	6	2	9	5	3	4
6	4	3	7	5	8	2	9	1
2	7	1	8	9	4	6	5	3
4	9	6	3	7	2	1	8	9
3	8	9	1	6	5	7	4	2
2	3	8	9	1	6	4	7	5
5	6	9	2	4	7	3	1	8
7	8	4	5	1	3	9	2	6

4

6	3	5	7	2	4	9	8	1
7	8	4	5	9	1	2	6	3
2	9	1	6	8	3	5	4	7
9	1	8	3	5	2	4	7	6
5	7	3	1	4	6	8	2	9
4	6	2	9	7	8	1	3	5
8	5	6	4	1	7	3	9	2
1	2	7	8	3	9	6	5	4
3	4	9	2	6	5	7	1	8

5

7	9	8	5	3	1	4	6	2
1	6	3	4	5	2	7	1	9
2	4	5	9			8		
8	3	7	6	1	4	2	9	5
4	1	9	7	2	5	6	3	3
6	6	2	3	9	8	5	4	1
3		6	8		9	1		
5		1	2		3	9		7
9		4	1	6		3	5	8

6

4	1	9	3	5	7	2	8	6
5	7	6	4	8	2	3	9	1
2	3	8	1	9	6	5	7	4
1	9	4	8	2	3	7	6	8
7	8	3	5	6	1	4	2	9
6	2	5	7	4	9	1	3	8
8	5	2	9	7	4	6	1	3
9	6	1	2	3	5	8	4	7
3	4	7	6	1	8	9	5	2

7

4	9	6	8	3	1	5	7	2
2	7	1	9	6	5	8	4	3
5	8	3	7	4	2	1	6	9
1	6	4	5	9	3	2	8	7
8	3	9	2	1	7	6	5	4
7	5	2	4	8	6	3	9	1
9	1	5	3	7	8	4	2	6
6	4	8	1	2	9	7	3	5
3	2	7	6	5	4	9	1	8

8

6	2	8	1	4	7	5	3	9
9	4	7	5	3	6	8	1	2
5	1	3	8	9	2	4	6	7
7	6	2	3	8	4	1	9	5
4	3	1	7	5	9	2	8	6
8	5	9	2	6	1	3	7	4
1	7	5	9	2	3	6	4	8
3	8	4	6	7	5	9	2	1
2	9	6	4	1	8	7	5	3

	2	8	4	9	1	6	3	5
	9		6	5	7		2	8
5	7		8	3	2	7	9	
	8						6	4
8	6						1	7
1	5						8	
	3	5	9	7	8			2
2	8		5	1	4		7	
	1	7	3	2	6	8		

10

8	1	3	7	2	9	5	4	6
7	5	4	8	6	1	9	2	3
6	9	2	4	3	5	7	8	1
9	4	1	5	7	2	6	3	8
5	6	8	9	1	3	4	7	2
3	2	7	6	4	8	1	9	5
4	7	5	3	8	6	2	1	9
1	8	6	2	9	4	3	5	7
2	3	9	1	5	7	8	6	4

★★★★★

4 + 6 11

7	4	8	3	6	2	1	5	9
5	9	2	4	1	7	6	8	3
1	3	6	5	8	9	7	4	2
9	2	3	6	5	8	4	7	1
4	6	5	2	7	1	3	9	8
8	7	1	9	3	4	2	6	5
3	8	9	7	2	6	5	1	4
2	1	7	8	4	5	9	3	6
6	5	4	1	9	3	8	2	7

12

6	8	7	2	3	9	1	5	4
4	5	2	8	1	6	7	9	3
3	9	1	7	5	4	2	6	8
7	1	5	6	8	2	4	3	9
2	4	3	5	9	1	6	8	7
8	6	9	4	7	3	5	2	1
9	7	6	3	4	5	8	1	2
1	2	4	9	6	8	3	7	5
5	3	8	1	2	7	9	4	6

No res

H=2
2+2=4
2+1=3
1+3=4
0+1=10
5+5=10

13

2	3	6	1	9	8	5	4	7
7	9	1	4			3		8
8	5	4	7	3	2		6	
1		3	8	4			5	6
4		5				8		3
6	8	9		7	3	4		
9	4	8			7			
5	6	7			1		8	4
3	1	2	9	8	4	6	7	5

14

6	7	8	2	4	1	3	7	9
2	9	1	3	7	5	4	8	6
5	4	3	9	6	8	1	2	5
8	8	7	1	2	3	6	5	4
3	5	6	7	8	4	9	1	2
4	1	2	5	9	6	8	3	7
1	2	5	4	3	9	7	6	8
7	6	4	8	1	2	5	9	3
9	3	8	6	5	7	2	4	1

15

7	9	4	2	1	6	9	5	8
	5	1	8	3	4	6	7	2
	8	6	9	5	7	4	1	3
8	6	3	1	9	5	7	2	4
1	4	7	6	2	8	5	3	9
9	2	5	7	4	3	8	6	1
5	1	8	4	7	2	3	9	6
4	7	2	3	6	9	1	8	5
6	3	9	5	8	1	2	4	7

16

3	1	5	8	9	6	2	7	4
7	4	2	3	5	1			
	6		4	7	2	3	1	5
6		4		3		7		
	3		6		7		9	
	7	1				6	4	3
4	2	6			3		8	
			6	4	1			2
1	5	7			8	4	3	

7	5	9	1	8	6	2	4	3
2	1	3	7	5	4	9	8	6
4	6	8	9	3	2	5	7	1
3	8	6	2	9	7	1	5	4
5	7	1	6	4	8	3	2	9
9	4	2	3	1	5	7	6	8
1	2	5	8	6	9	4	3	7
6	9	7	4	2	3	8	1	5
8	3	4	5	7	1	6	9	2

18

5	7	2	8	1	9	4	3	6
3	1	6	7	4	5	9	8	2
9	8	4	2	6	3	5	7	1
6	4	5	3	8	1	7	2	9
2	9	8	6	5	7	1	4	3
7	3	1	4	9	2	8	6	5
4	2	9	5	3	8	6	1	7
8	5	3	1	7	6	2	9	4
1	6	7	9	2	4	3	5	8

9	2	1	6	7	3	5	4	8
8	6	3	5	2	4	9	7	1
4	7	5	9	8	1	6	2	3
5	3	6	1	9	2	4	8	7
1	4	9	7	5	8	2	3	6
7	8	2	3	4	6	1	5	9
3	1	7	2	6	5	8	9	4
2	9	4	8	1	7	3	6	5
6	5	8	4	3	9	7	1	2

20

6	5	4	7	9	8	2	3	1
7	3	8	5	2	1	6	4	9
1	2	9	4	6	3	5	7	8
9	7	5	3	1	4	8	2	6
4	1	2	8	7	6	9	5	3
3	8	6	9	5	2	4	1	7
5	4	7	1	8	9	3	6	2
2	9	3	6	4	7	1	8	5
8	6	1	2	3	5	7	9	4

21

3	4	8	9	7	2	6	5	1
5	2	1	8	4	6	3	7	9
9	7	6	1	5	3	2	4	8
4	1	2	5	6	9	7	8	3
7	6	9	3	1	8	5	2	4
8	3	5	7	2	4	9	1	6
6	9	4	2	8	5	1	3	7
1	5	3	4	9	7	8	6	2
2	8	7	6	3	1	4	9	5

22

8	4	3	9	5	1	6	7	2
1	6	5	2	4	7	3	9	8
2	7	9	6	3	8	5	4	1
6	5	7	3	1	2	4	8	9
9	2	1	4	8	6	7	5	3
3	8	4	7	9	5	1	2	6
7	3	8	5	6	9	2	1	4
4	1	2	8	7	3	9	6	5
5	9	6	1	2	4	8	3	7

23

6	4	9	2	5	3	7	8	1
1	2	3	8	9	7	4	6	5
8	7	5	6	1	4	9	3	2
2	5	7	3	4	8	1	9	6
3	9	6	1	2	5	8	7	4
4	1	8	7	6	9	5	2	3
7	3	1	4	8	6	2	5	9
5	6	4	9	7	2	3	1	8
9	8	2	5	3	1	6	4	7

24

4	7	5	8	3	6	2	9	1
3	6	2	9	1	7	4	5	8
1	8	9	4	5	2	3	6	7
5	3	7	1	2	8	6	4	9
2	4	8	5	6	9	7	1	3
9	1	6	7	4	3	5	8	2
7	5	3	6	9	1	8	2	4
6	2	1	3	8	4	9	7	5
8	9	4	2	7	5	1	3	6

25

9	6	1	8	2	7	3	5	4
4	3	8	1	5	6	7	9	2
7	5	2	9	4	3	1	8	6
1	7	4	2	6	5	8	3	9
2	9	3	4	7	8	5	6	1
5	8	6	3	9	1	2	4	7
8	4	5	7	1	9	6	2	3
3	1	9	6	8	2	4	7	5
6	2	7	5	3	4	9	1	8

26

8	3	2	6	4	9	7	5	1
9	4	5	7	1	3	8	6	2
1	7	6	8	2	5	4	9	3
7	1	8	9	6	4	2	3	5
5	9	4	2	3	7	6	1	8
2	6	3	1	5	8	9	4	7
3	8	1	4	7	6	5	2	9
4	2	9	5	8	1	3	7	6
6	5	7	3	9	2	1	8	4

Puzzle 27:

9	4	2	1	6	7	8	5	3
3	5	7	8	4	9	2	6	1
8	6	1	3	2	5	7	4	9
2	9	7	6	8	1	4	3	5
4	3	5	9	7	2	1	8	6
6	1	8	4	5	3	9	7	2
1	2	4	7	3	6	5	9	8
5	8	3	2	9	4	6	1	7
7	6	9	5	1	8	3	2	4

Puzzle 28:

3	7	4	5	2	1	9	6	8
2	8	1	9	6	7	5	3	4
9	6	5	4	8	3	1	2	7
6	1	7	2	3	4	8	9	5
8	4	2	6	9	5	7	1	3
5	9	3	7	1	8	6	4	2
1	5	9	3	7	2	4	8	6
4	2	6	8	5	9	3	7	1
7	3	8	1	4	6	2	5	9

9-21-08

9	4	7	2	3	8	1	5	6
1	5	8	6	4	9	3	2	7
3	2	6	1	5	7	8	9	4
2	6	9	4	8	3	5	7	1
5	8	1	7	9	6	4	3	2
4	7	3	5	2	1	9	6	8
7	9	4	3	1	2	6	8	5
6	3	5	8	7	4	2	1	9
8	1	2	9	6	5	7	4	3

30

2								7
	5		7			1	8	6
	1	7		5		2		
6		2		4	3	9	1	8
	4			8			3	
1	8	3	9	6		4		5
		8		3		7	2	
4	2	9			6		5	
7								4

31

7	6	1	2	9	4	5	3	8
2	5	4	1	8	3	9	6	9
8	3	9	7	6	5	1	2	4
5	1	7	6	2	8	4	9	3
4	9	2	3	1	7	8	5	6
6	8	3	5	4	9	7	1	2
3	4	8	9	5	2	6	7	1
9	2	6	4	7	1	3	8	5
1	7	5	8	3	6	2	4	9

32

4		3		5			9	
8	6	1					7	
		2		7		1		
7	2		6	4	1	3		
6	4			3			2	1
		5	7	8	2		4	9
		6		2		5		
	3					2	1	4
	8			1		9		3

33

2		1					7	
	7	8	9			6	2	
9			8			1		5
	8	2		9	3	5		7
3				7				2
1		7	4	6		3	9	
8		3			9			6
	2	5			6	9	4	
	9					2		3

34

	4	3	8		7	5	9	
			5	4				
9	5				6		7	
5	2	4	3	6		9		7
		6				3		
7		9		8	2	6	5	1
	7		1				6	9
				7	3			
	8	5	9		4	7	1	

35

		1	2	8		4		3
3	8	7		1				
	2	9		5	3	7		
		5			4			1
1	4		8		5		7	2
7			1			5		
		4	3	2		1	5	
				9		2	8	4
9		2		4	8	3		

36

	3			4	8	1		6
	9						7	2
6		7	9	2	3	4	8	
4			6	3	9			
		6				9		
			1	5	2			4
	4	5	2	9	7	6		8
9	6						2	
7		8	3	1			4	

5		2		6	3	8		9
3		4		2		5		
6				9	5	3	2	
	3					9	7	
		6	9		8	2		
	2	9					8	
	5	7	1	3				8
		1		8		7		2
9		3	2	4		1		6

	3	4	1			8		
			5	3		9		
6				8		3	1	4
		3	7	6	1	2	9	
	9			5			6	
	1	6	8	9	2	4		
8	2	9		1				3
		1		2	5			
		5			8	7	2	

39

			4					9
2	7	9			5	4		3
	4		3	9		7	1	
4	8			1	9			2
1		2				9		6
9			2	3			8	4
	2	1		6	4		5	
7		4	8			2	9	1
5					1			

40

	9			8	5			
8		5	6		2		7	
	6		1	9		8	2	5
		1	8	7				4
	8	4				5	9	
7				6	4	2		
1	7	8		5	6		3	
	2		4		7	1		9
			2	1			5	

41

4	6		5			8		9
8	3		2					5
				4		1		
6	8	5	1		4			
1	7	4	3		8	6	5	2
			7		6	4	8	1
		6		3				
3					5		1	6
5		9			1		7	4

42

5	1	3	7	4				
8		9		5				
	7			3		1	8	
3	5						6	
7	4	6	5	9	1	3	2	8
	9						5	7
	3	1		6			7	
				1		2		6
				8	2	5	1	9

43

	3		6			1		5
	6			8	9		3	
9	8		3		2		7	
8		9	2					6
		6	7	1	5	3		
3					6	4		2
	4		5		7		6	8
	5		9	6			4	
6			1		3		2	

44

4		7	3					9
	2	3			4			
	9	8			5	1	4	3
3	5				9	6	7	
	7	6				3	9	
	4	1	6				5	8
1	6	4	5			8	3	
			8			9	1	
7					2	4		5

45

7		1	3		5		8	
3	8		2		1	6		
		5			6		3	1
	1		9	8				4
		7		2		9		
4				6	3		1	
5	7		4			1		
		2	7		8		5	6
	3		6		9	7		2

46

8		6	3	7	9			5
	9				5			
	2		4		6		9	
4	5				2	1	6	
3	8			6			7	2
	6	2	7				5	3
	3		2		7		1	
			9				2	
2			6	1	3	9		7

		2					4	
	6		8	3			9	2
					9	1	7	
2	9	6	4		5	3		8
	7	8		2		9	5	
4		3	9		8	2	6	7
	1	9	3					
8	4			9	2		3	
	2					7		

48

9	6	1		7	8	2	3	5
3	7		5				8	
	5				3			1
1	9			8		4	5	
	2	3		6			1	8
2			7				9	
	4				1		2	6
6	3	8	2	9		1	4	7

49

		3		2		6		8
	5			4			7	
2			5	6	7			1
9	1	6		8		7		3
		5	6		2	8		
8		4		7		5	1	6
1			7	9	4			5
	8			3			9	
3		9		5		1		

50

8								
5	9		2	3		1		
1	4	2		5	7		3	6
6	7	8	9	4		2	1	
	5	1		7	2	4	6	8
2	8		7	6		3	9	1
		9		2	8		5	7
								2

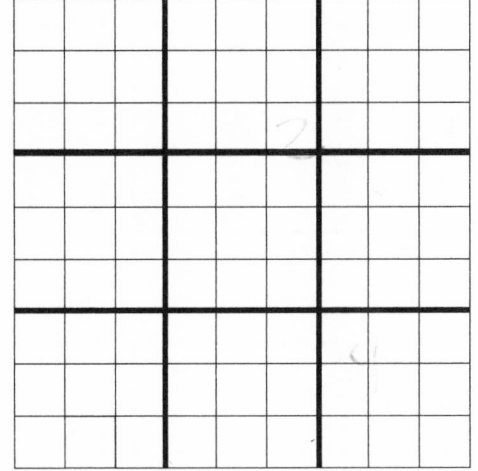

6	2	1	9	4	7	3	8	5
7	5	4	8	6	3	9	2	1
8	9	3	5	1	2	6	4	7
5	1	6	2	3	8	7	9	4
9	7	8	6	5	4	2	1	3
3	4	2	1	7	9	8	5	6
4	6	9	3	2	5	1	7	8
1	8	7	4	9	6	5	3	2
2	3	5	7	8	1	4	6	9

		9			6			7
6		5		7	8			1
		3			2	9		
8		6					5	
	9					1		6
		8	6			7		
3			8	1		2		4
2			4			6		

5	9	1	7	8	3	4	6	2
4	2	3	6	1	5	7	8	9
7	8	6	2	9	4	3	5	1
1	6	5	4	7	2	8	9	3
9	3	7	8	5	6	2	1	4
8	4	2	1	3	9	5	7	6
6	1	8	3	2	7	9	4	5
2	5	4	9	6	8	1	3	7
3	7	9	5	4	1	6	2	8

54

3	8	2	7	9	5	6	1	4
5	1	6	2	8	4	3	9	7
7	9	4	6	1	3	5	2	8
4	3	1	9	5	6	8	7	2
9	2	7	4	3	8	1	5	6
6	5	8	1	2	7	4	3	9
1	4	3	8	7	2	9	6	5
8	7	9	5	6	1	2	4	3
2	6	5	3	4	9	7	8	1

			7					
1	2		9			4		7
		9	5	2			8	1
	6		3		2	5	9	
	3	2	6			9		7
8	1			9	5	7		
6		4			8		2	5
					6			

		8	1					
		7	6				4	9
3	4							
		2		8		3		5
	7		5		2		1	
9		6		4		8		
							9	2
2	6				3	4		
					6	5		

57

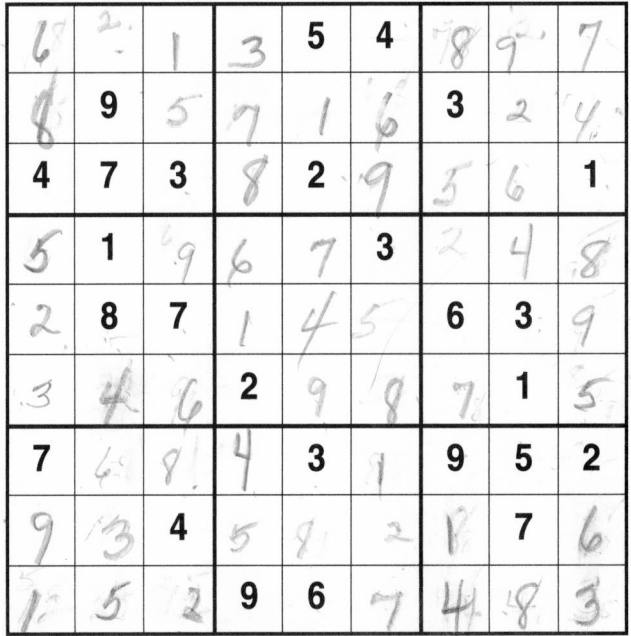

6	2	1	3	5	4	8	9	7
8	9	5	7	1	6	3	2	4
4	7	3	8	2	9	5	6	1
5	1	9	6	7	3	2	4	8
2	8	7	1	4	5	6	3	9
3	4	6	2	9	8	7	1	5
7	6	8	4	3	1	9	5	2
9	3	4	5	8	2	8	7	6
1	5	2	9	6	7	4	8	3

58

2	4	9	7	1	6	3	5	8
5	3	7	8	2	4	1	9	6
6	1	8	5	9	3	4	7	2
8	2	3	1	4	9	5	6	7
7	5	6	2	3	8	9	1	4
1	9	4	6	7	5	2	8	3
9	8	2	4	6	1	7	3	5
3	7	5	9	8	2	6	4	1
4	6	1	3	5	7	8	2	9

59

1			8			3	4	2
5	2	8	1	3	4	6	7	9
	43	43		2	6	1	5	8
	1		24	8	2	7	3	6
	8		6	81	3	429	2	51
2	3	6	4	71	7	49	8	51
4	7	1	25	9	25	8	63	63
	8	2	3	4	1	5	9	7
3	5	9	7	6	8	2	1	4

60

8	6	5	3	4	7	9	2	1
4	1	3	9	2	6	8	5	7
7	2	9	8	5	1	6	3	4
3	8	2	1	7	5	4	9	6
6	4	7	2	8	9	3	1	5
5	9	1	4	6	3	7	8	2
2	5	6	7	9	8	1	4	3
1	7	8	5	3	4	2	6	9
9	3	4	6	1	2	5	7	8

JH 9-21-08

3	4	8	6	1	9	5	2	7
6	5	9	7	4	2	1	3	8
1	7	2	5	8	3	4	6	9
9	3	7	8	5	1	6	4	2
4	6	1	2	3	7	9	8	5
8	2	5	9	6	4	3	7	1
2	9	3	4	7	5	8	1	6
5	8	4	1	2	6	7	9	3
7	1	6	3	9	8	2	5	4

JH 9-21-08

7			2		3	8	1	
8		2				5		9
	5		8					
3		1	5					
	9						8	
					9	3		5
					7		5	
1		7				2		8
	3		1		2			4

64

	9		8		1			6
3		1		6				
			3					
5		3	4				2	8
			7					
7	4			8		1		5
					8			
				2		5		9
2			4		9		7	

65

	1	2	8	4	5	4		
8	7	3	6	2	9	1	5	4
	4		7	3	1	2	8	
4	8	5	2	8	3	7	1	1
		8	1	5	7	4		
7		1	9	6	4	8		5
9	8	4	3	7	6	5	1	1
1	2	7	5	9	8	3	4	6
		3	4	1	2	9	7	8

66

		2	5	8	9			
	9					5		
5			2				7	9
			8		1	9		
6	2	3	9	7	5	4	8	1
		1	3					
2	7				8			3
		4					1	
				4		7		

Puzzle 67

			1		5	6		
1			7				8	
5		9			8		1	4
2			8					7
	4						9	
7					6			5
8	2		5			7		3
	6				2			1
		4	3		1			

Puzzle 68

1					5			
6		9	1					
	4	5	9					6
	2					3	9	
	5						6	
	8	3		2			1	
3					6	4	7	
						8	6	
			7					1

9	8	5	1	2	4	3	6	7
3	6	4	7	8	9	2	5	1
		7	6	5	3			
5	4	8	2	3	6		7	
6	3	1	8	9	7	5	4	2
4	7	2	5	4	1	8	3	6
		8	3	7	58	6		
		6	9	1	58		2	3
	9	3	4	6	2			5

	9			1		2	7	7
7		5			2			3
2	2		7	8	5	6		
5		8						
2	4	7				3	9	5
	5					4		
5	6	49	2	3	7			4
1	8	49	5	4	4	7	3	2
3	7	2	1	8	1	6	5	4

71

			9			8		3
				6				7
		7	3	8	2	4		
	8				6	7		9
		9				6		
1		4	5				2	
	5	1	4	8	7			
6				5				
4		8			1			

72

		6		9		4		
	5	1	8				3	
						8	6	
2				1	9			6
			3		7			
5			4	8				3
	4	7						
	1				8	3	4	
		5		3		1		

4			5		3	1	9	
		5			7		2	8
9			2					
		4	3					
3	5		9		4		6	2
					8	5		
					2			7
8	4		6			2		
	1	6	8		5			3

6	5	2		3			8	
			9				3	
		9				5		1
5						2		8
1			8	6	3			9
8		7						3
7		5				1		
	6				7			
	1			5		8	7	6

				8			7	
	6				2	5		
	2	4	6			1		
				1		9		
	9	8				7	1	
		7		9				
		5			4	8	3	
		1	8				6	
	8			5				

				5		6	1	
		3		1		2		8
			3					5
8		9	5					1
	1	7				5	6	
3					1	8		4
4					3			
7		5		8		3		
	3	2		7				

77

7	8		2					3
	2		3				7	
		3			5			
		5	1				4	
		2	5		3	1		
	7					2	8	
			8			9		
	9				1		2	
3					6		5	1

78

		4	5			3		
			4				7	5
	1		9	8			6	
	8	3		1				
				3		6	8	
	3			2	9		1	
7	5				8			
		8			6	9		

4	3	1		9				
		2				1		3
7		6		5				
1	2				5		3	
		5		6		9		
	7		3				5	1
				1		3		8
2		4				7		
				2		6	4	9

					5	3	7	
6			7				9	
1				9				5
	4	1		2			3	
3								9
	5			3		8	1	
7				4				3
	9				6			7
	1	6	5					

81

	9							
			6	8	9	4		5
		6		7		2		8
5		7	4					
	1	4		9		8	3	
					8	7		4
7		5		6		1		
1		9	8	2	4			
							4	

82

8				3	1	7		6
		7						
					9		8	1
			3	8		5	1	
7		4				3		8
	3	8		2	4			
4	9		8					
						6		
2		1	6	9				3

83

6	4	1	2	8	7	9	5	3
3	7	5	9	4	1	8	4	2
2	9	8	3	5	4	1	7	6
7	2	6	4	9	8	3	1	5
9	5	3	7	1	2	6	8	4
8	1	4	6	3	5	2	9	7
5	3	2	8	4	9	7	6	1
4	8	7	1	2	6	5	3	9
1	6	9	5	7	3	4	2	8

84

	5					6		
		7		5			9	
	1	2	6			8		
2	6		5	1				
			7		4			
				2	6		4	1
		5			3	9	2	
	2			8		4		
		8					1	

85

8	1	3	7	5	2	9	6	4
4	5	2	9	3	6	8	7	1
6	9	7	1	4	8	3	5	2
5	7	4	2	9	3	6	1	8
2	8	9	6	1	4	7	3	5
1	3	6	8	7	5	4	2	9
9	4	1	3	2	7	5	8	6
7	2	8	5	6	9	1	4	3
3	6	5	4	8	1	2	9	7

86

8								7
					8		1	9
		5	9	7			2	
					6	2	5	
3								1
	9	1	2					
	4			1	7	8		
9	1		3					
6								2

87

7		4	9		5			
			6				2	
				8		5	1	
		2	4	9		6		
		9	2		8	1		
		8		1	3	4		
	6	5		3				
	4				6			
			1		9	3		5

88

88				4			1	
7			5			2	4	
4		2	1					
	6		7			4		
5	3						9	8
		4			3		6	
					8	5		6
	7	9			5			4
	8			2				

		6	2					
		5				6		7
	9	4	3		5			
8					2		9	
		3				4		
	6		8					5
			1		3	9	8	
3		9				2		
					9	1		

6				1	3	5		
5		9	8					3
3		8	6		2			
		5				7		
		3				2		
		7			9			
			1		6	3		5
1					7	8		6
		6	2	9				4

91

	6		2	7	9	8		
		8			1			
			4					
	8	4	7	1		6		9
3								7
9		2		4	3	1	5	
					4			
			8			4		
		3	9	2	5		8	

92

4	5			7			3	
			8			2		
						9	5	1
	6	3		9				7
			1		7			
7				8		5	2	
5	9	6						
		4			8			
	7			3			1	6

93

		4	6				7	
	1				2			9
			9	4		1	2	
						4		6
	4	2				9	5	
5		3						
	7	5		6	4			
9			3				8	
	3				8	5		

94

3						6	1	
7			2		3		9	
			5	6		8		
		2			7		4	
			8		5			
	9		1			7		
		7		5	6			
	6		9		8			3
	3	5						4

5	3						1	
			5		1		8	
		4	8	2				
2	9							
8	5	1				6	4	3
							2	9
				6	5	3		
	2		1		3			
	6						5	2

		9		2				3
						5		
4	6					2	7	
					8	6		5
	3	4				8	1	
1		8	2					
	7	6					5	8
		5						
2				1		7		

			2	1				
3						8	2	
	8			9	3			
2						1		4
5		3				6		9
1		9						7
			3	6			1	
	1	4						8
				8	7			

7			2	6	9	4	8	
			1				2	
							9	
1			8			5		
8		9	3		2	1		7
		5			1			8
	2							
	5				4			
	8	1	7	2	6			4

6	4		9				5	3
	5		3					1
			5		8	4		
	6	5					8	
8		1				9		7
	7					6	3	
		6	4		5			
1					2		7	
5	8				7		9	6

100

	2		3			8		1
		7	6					
8						9	3	
			8	4		7		
7	6						2	4
		3		1	6			
	7	1						2
					4	3		
9		2			5		8	

101

			2			5	7	
7	6			3				
	2	4	9	8			6	
2							4	
4			3		1			8
	8							3
	3			2	4	8	1	
				1			9	7
	5	2			9			

102

3	8	2	6	5	4	9	7	1
6	4	9	3	7	1	2	8	5
1	7	5	8	9	2	6	3	4
4	1	6	9	2	3	7	5	8
9	5	3	7	8	6	4	1	2
7	2	8	1	4	5	3	6	9
8	9	1	4	3	7	5	2	6
2	3	4	5	6	8	1	9	7
5	6	7	2	1	9	8	4	3

		4	3		1		8	5
6		3			8	1	7	
				7				
4					5		2	
	1		4		7		6	
	7		1					3
				5				
	3	7	6			4		2
1	5		8		3	6		

	1		3		4			
				5				
7	4					2	9	
	7	3			6			2
	5	6				8	7	
4			5			9	3	
	6	7					2	5
				2				
			8		1		4	

			7			9	3	1
		7		4		8		
6		3		9			5	
			4	6	7		2	
	4		2	1	5			
	9			2		3		6
		2		3		5		
3	6	4			8			

6		2		5		7		
	4	7	6					3
						6	1	
	2		8		5			7
	6						3	
7			2		9		8	
	9	3						
5					3	1	4	
		4		8		3		5

107

					1	8		9
						7		5
	2			7				4
		8	1			9		6
		6				4		
5		9		2	6			
1				6			7	
7		3						
6		4	5					

108

4							1	
				5		2	4	
		5			4		8	
		8		4	1	3		
9								1
		1	9	2		5		
	5		1			8		
	2	3		6				
	7							2

109

9	4	7	1	2	5	6	8	3
1	6	8	7	3	4	5	9	2
2	5	3	9	6	8	4	1	7
6	1	9	5	4	2	7	5	8
7	3	4	8	9	1	2	3	6
8	2	5	3	7	6	9	4	1
3	9	2	4	1	7	8	6	5
5	7	1	6	8	9	3	2	4
4	8	6	2	5	3	1	7	9

110

9	1	3	5	8	6	2	4	7
8	2	5	7	3	4	6	1	9
4	6	7	9	2	1	5	8	3
3	8	6	1	9	2	7	5	4
7	5	2	6	4	3	1	9	8
1	9	4	8	5	7	3	6	2
2	7	8	4	1	5	9	3	6
6	4	1	3	7	9	8	2	5
5	3	9	2	6	8	4	7	1

111

1	4	6	4	2	9	6	3	8
8	2	6	7	1	3	4	5	9
3	4	9	6	8	5	2	7	1
4	8	3	1	5	2	9	6	7
5	1	2	9	6	7	8	4	3
9	6	7	3	4	8	1	2	5
7	3	4	8	9	6	5	1	2
6	5	8	2	3	1	7	9	4
2	9	1	5	7	4	3	8	6

112

8	2	7	1	3	5	4	6	9
3	5	1	6	4	9	2	8	7
6	9	4	7	8	2	5	1	3
5				1	3	8	7	
7				5	3	1	3	2
		3		7		9	5	4
	1		3			7	9	5
9	4				1	3	2	8
					7	6	4	

82

4	4	1	9	6	3	5	8	2
6	8	5	2	7	1	9	3	4
3	2	9	5	4	8	6	7	1
5	4	3	1	8	7	2	9	6
1	9	7	6	2	4	3	5	8
8	6	1	3	9	5	1	4	7
2	1	8	4	3	9	7	6	5
9	5	4	7	1	6	8	2	3
7	3	6	8	5	2	4	1	9

7	9		6					
		6	8			3		5
3					2			
				3			8	2
2			9		4			1
4	1			2				
			1					7
9		5			6	1		
					9		2	6

115

			4		3		5	8
8		7	1			2		
	4	1		2		7		
2	7					8		
		9					2	7
		5		6		3	8	
		4			7	6		2
9	2		8		4			

116

7	8			5				6
5		3			6			2
	9				1			
						4		3
	2		4		7		5	
6		1						
			5				9	
2			1			3		7
9				3			1	4

117

3	7	5	9	6	8	1	2	4
4	9	6	1	2	7	5	3	8
8	2	1	4	5	3	7	6	9
2	8	7	5	1	9	6	4	3
6	4	9	3	7	2	8	1	5
1	5	3	6	8	4	2	9	7
9	6	2	7	3	5	4	8	1
7	1	4	8	9	6	3	5	2
5	3	8	2	4	1	9	7	6

118

2					3			9
8	9			6		5		3
3			9	9			4	6
6	2	3	9	8		4	4	5
4	7	8	5	2	8	9	3	1
1	5	9	4	4	7	2	6	8
79	8	1					5	4
79	4	6		5			8	2
5	3	2	6					7

119

			4					
		9				2	4	
4				7		8	3	6
	1	4	6	5			7	
		3		2		9		
	7			1	3	5	8	
6	4	7		9				3
	9	5				6		
					6			

120

4		2		9				
		5	8	4	2			
8	9	3	6					
9	6		7					
	5						7	
					4		6	3
					5	2	3	9
			9	2	6	1		
			1			7		6

121

5	4	6	3	7	9	2	8	1
3	2	7	8	1	5	9	6	4
8	1	9	4	6	2	3	7	5
1	5	3	7	2	4	6	9	8
9	6	2	5	3	8	1	4	7
7	8	4	1	9	6	5	2	3
4	9	8	6	5	3	7	1	2
6	7	5	2	8	1	4	3	9
2	3	1	9	4	7	8	5	6

122

	8		2	7		1	9	
2				9		6		
		9				7	5	
				3	6			7
1		6				9		3
7			4	8				
	5	1				4		
		2		1				6
	6	7		2	4		1	

123

			1		3			6
	8			6		1		
						7	8	
	1		3			4	6	
			4	9	2			
	9	4			8		5	
	4	2						
		9		2			1	
6			5		9			

124

9	6							
	3	7	1				8	
4		1		8			9	
				7	1			8
			3		8			
1			6	2				
	2			9		1		4
	9				4	8	5	
							2	3

125

6		9	5				4	
1				4				8
			3		9			5
			1				5	7
7		3	4		5	2		9
5	4				6			
8			2		3			
3				6				2
	5				1	7		6

126

			5					
3		9					2	
7	1			6			5	9
4	2				6	5	1	
1								6
	9	6	2				3	8
9	3			7			6	2
	8					9		3
					9			

127

				4	9		1	2
					8			9
5			2			7	6	
				6	3			8
	9	6				4	7	
3			9	8				
	2	8			6			7
7			8					
4	6		7	5				

128

9					1	4	5	7
				5	3	1		
	2						8	3
						9		
6	9		1		4		2	8
		7						
2	6						7	
		9	6	2				
3	7	8	9					1

	7				4			
	3		9			5		1
	2			6	3			
3	8			4				
5	6		3		9		7	2
				2			1	8
			4	9			8	
6		4			2		5	
			7				4	

		7		9				
	4				2			
8			1		7		4	
		4		3				8
		3	2		6	1		
2				5		7		
	1		3		5			7
			7				6	
				1		2		

131

1	3		7	2			4	
		4				5	2	6
		5	4					
						8	9	
			3		1			
	9	7						
					7	3		
8	5	3				1		
	6			5	3		8	9

132

		3		1		8		
9						3		
4		5	7					
7		6	5	4				8
			9	2	7			
5				3	6	7		9
					8	4		1
		1						3
		9		7		5		

133

8	4	5	9	2	1	3	6	7
2	9	7	8	6	3	4	1	5
3	1	6	4	7	5	9	2	8
7	8	4	6	1	9	2	5	3
5	6	9	2	3	8	1	7	4
1	2	3	5	4	7	6	8	9
6	3	2	7	5	4	8	9	1
9	7	1	3	8	2	5	4	6
4	5	8	1	9	6	7	3	2

134

1	8	4	5	6	3	7	2	9
6	2	7	1	9	8	3	4	5
3	9	5	2	7	4	6	1	8
7	4	3	8	2	1	5	9	6
2	5	6	9	4	7	1	8	3
8	1	9	3	5	6	4	7	2
5	3	1	7	8	2	9	6	4
9	6	8	4	1	5	2	3	7
4	7	2	6	3	9	8	5	1

135

6		5						
	8	2	9					
1	4				3		9	
	2	8	3	6			5	
	5			2	4	9	8	
	3		4				2	7
					5	4	6	
						8		5

136

9								1
6	1		3	2		8		
5					9	3		
	2		5	6				
	4						3	
				7	4		2	
		1	9					3
		6		8	2		1	4
2								5

137

	9					5		
1			6	7		3		
	3			4	9			
					6	1		4
	6	8		2		9	7	
4		5	8					
		7	3				2	
		3		6	1			7
		7					1	

138

				9	5		6	
			7	1				4
	1	9	3				7	
	8	3				2		
	5						9	
		2				7	1	
	9				1	4	5	
7				5	3			
	4		6	2				

		7			4			
5	6		8		7			
		8	1	3				7
		4			1	7	3	
	3		4		6		2	
	9	2	7			8		
8				1	2	6		
			5		8		1	2
			6			5		

5		9			1			
		8	5		6			
	4			7	2			
4	5	2						
	3						1	
						3	4	8
			2	4			9	
			8		9	6		
			1			8		3

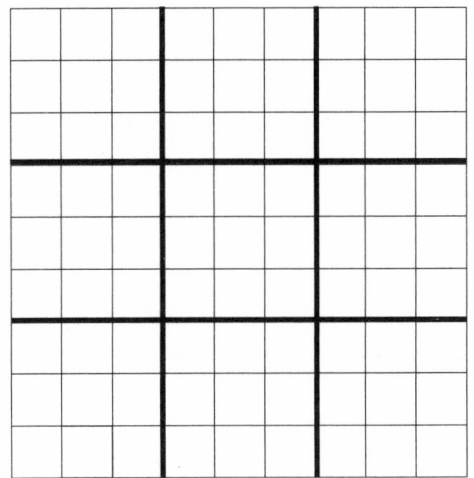

141

5		8			7			
4	6		3		8			
	7			4	6			
2	1					7		
6	5						3	9
		9					4	1
			2	8			7	
			6		9		1	3
			4			9		8

142

8	2	7		4		9		
		3					2	4
1	4	6	9					
				9	3		6	
		2				1		
	3		6	7				
					9	3	4	1
6	1					2		
		4		2		7	9	6

	6						1	5
			4				2	
	5			3	8			4
		5		6				9
			8		2			
9				1		6		
8			5	2			7	
	7				3			
5	1						4	

	5			4		8	3	
		3			9			5
		2	5					
		9		5			7	
5			8		4			1
	8			7		6		
		5			2	1		
6			3	9	5	7		
	3	8		9			2	

145

				4				
				1		8		
	3		5			2		4
		8	1	5				6
7		3				1		2
9				6	3	4		
1		7			8		3	
		2		3				
				7				

146

	1				6			
		2	4				3	5
	5				8	4		
6					7	1		
2								9
		9	5					6
		1	8				7	
4	7				3	5		
			7				8	

147

	2		5				4	7
		7		3		5		
8			4		6			
	7							
	6	4		2		3	9	
							8	
			7		5			3
		5		6		4		
1	4				3		7	

148

7			1					
				9		7		
	2					1	9	6
	8	6		1	3			
		7				6		
			9	4		8	7	
9	6	3					2	
		1		8				
					5			1

		5				8	9	
1			2					
			7			5	6	
4	3		8			1		
		2	3		6	7		
		6			1		3	9
	7	3			8			
					7			3
	5	9				4		

150

	4			9		8		
			3	2		1		
		7						6
4	3				5			1
			8		4			
8			1				3	5
5						7		
		3		4	9			
		1		5			9	

	6	3	7	5				
					9		6	3
					1			
	9	8	3	7				
	5					8		
			8	6	2	7		
		9						
1	4		2					
				3	7	5	9	

152

2	9			1			4	
		7		5	2		6	
6					3	7		
					5			9
		4		8		3		
5			6					
		2	5					4
	1		3	2		5		
	3			6			2	7

153

		4	2					
2					3			
		9		5	7	3		
3		2			5		4	7
		1				9		
6	4		3			1		5
		3	7	6		2		
			5					1
					9	4		

154

	9				8		2	1
			9					
4	7					6		
2			4			9		
	3		8	5	9		1	
		9			1			5
		4					5	7
					3			
1	6		5				8	

155

4	7	2	68	388	388	51	579	576
3	5	8	4	67	1	67	9	2
6	1	9		5	2	4		4
1	6	3			5	8	4	
9	8	5		4	4			3
2	4	7	3					
			5	1			6	9
8	3	1			9		7	
	4	9				1		

156

		3	4					
		4	9		2			6
6	2			8		5	4	
					4			
4	6						8	1
			7					
	3	6		4			9	2
8			2		3	1		
					9	6		

			4			3		2
	4			9				7
3			7	1				
2		7				6	9	
	9	6				1		3
			2	5				6
4			8				3	
5		8			7			

		8	5			6		
		3	6				1	4
	1				4	9		5
	7							
3		5		1		4		2
							9	
9		6	1				4	
8	4				6	1		
		1			2	8		

159

3	9		4			6		
	6							
				6		7	5	
	8	3	1			5		4
			5		3			
1		5			6	8	3	
	4	1		2				
							7	
		6			9		2	1

160

4	2							6
			2					
1	8	5		4	3			
			4		7	1		
		8				5		
		3	9		6			
			5	3		6	2	7
					8			
6							8	5

161

				3	2			9
3			7					6
5	1						8	3
				8	3		2	4
4	8		2	6				
9	5						3	2
6					4			5
2			3	1				

162

	8	7			5	2		
				2			7	9
			8			3		
9							2	
7			2		8			3
	1							4
		1			9			
6	2			5				
		3	6			1	5	

1		5			2			9
	6				7			
		2	8				1	
	4							
	7	6				3	8	
							2	
	2				3	6		
			7				3	
9			4			2		5

6		1	2				7	
8			1					4
4	3	2		7				
				9		7		
5		3				4		6
		8		1				
				5		3	4	1
3					6			8
	4				1	6		7

Puzzle 165

4	2	3	5	9	1	6	8	7
5	8	9	7	6	3	1	4	2
1	6	7	4	2	8	5	3	9
8	4	6	2	1	7	3	9	5
2	3	9	6	2	9	7	1	4
9	5	1	4	3	4	2	6	8
3	7	2	1	4	9	8	5	6
6	1	4	8	5	2	9	7	3
8	9	5	3	7	6	4	2	1

166

Puzzle 166

4	2				3			
8			6					
		7		1			2	
		6	2		8	7		9
	3						1	
7		2	1		5	4		
	1			7		3		
					1			5
			8				4	2

9	6	3	4	5	1	8	7	2
7	1	5	9	2	8	4	3	6
2	4	8	3	7	6	9	5	1
8	5	2	7	9	3	2	1	4
1	9	4	8	6	5	2	1	7
6	3	7	2	1	4	5	8	9
3	8	6	1	4	9	7	2	5
4	7		5	3	2	6	9	8
5	2	9	6	8	7			3

		5	2	8		3	4	
	4	2			1			5
8								
		4		1				2
		6		7		5		
1				3		7		
								3
4			9			8	2	
	6	3			4	8	1	

				5			3	
8	3		2					
	7	9	1					4
	9	6					7	
4			5		6			3
	5					1	4	
3					1	4	9	
					5		1	7
	2			9				

3			2					9
						1		7
		9		8	3			
		7	3	2				8
	9			5			1	
5				9	8	7		
			1	6		4		
7		1						
9					2			1

7		5			1	4		
8		6	7	5				
				2				
	3					7	1	
4	1			8			6	3
	6	9					8	
			3					
				4	6	3		5
		4	5			6		1

172

	5					4	9	2
			7					
			9			6	3	
9					6		5	3
		3	1		9	2		
1	7		5					9
	2	5			1			
					7			
3	9	4					2	

	2			7			8	3
				5	8			
7			4			6		
		6					2	
9			5		3			6
	1					9		
		1			2			9
			7	9				
2	3			6			5	

174

			9		5		7	
	4				3	1		
		6						8
		3	7				5	
	2			3			4	
	7				1	6		
1						9		
		4	6				2	
	5		8		9			

3			4	6			5	
				5				2
1		9			8			
	9					5		1
		5				7		
8		3					2	
			9			6		7
6				4				
	7			2	5			3

176

9		2						
	4				9		5	
5				4	6			8
		1	3				7	
2				5				9
	6				7	8		
6			9	1				2
	5		2				8	
						9		6

177

5	2					9		1
8								
	9		2				8	
3			8				5	7
			9		4			
7	8				5			6
	5				6		4	
								3
1		8					6	2

178

7		6	2	9				
		8	5			4		
							6	7
9		5	8	1				
				6	2	9		3
2	6							
		3			4	1		
				8	5	3		9

179

7	1		9	5				
		3			8			
8	2					6		4
			2			9		3
3		4			1			
9		8					7	6
			7			4		
				3	5		9	1

180

		7	3	1	3	.		9
3			9		4			
		9		8	5		3	
		6	2	2			5	
2		1				9		4
	4					2		
1	6		8	5	1	7		
			2					1
5			1	9	1	8		

181

						6		8
					3	9		
		8	9		2		3	
4					7			9
		9	2		4	5		
3			8					6
	7		5		1	2		
		5	7					
6		4						

182

4			8				9	
		9			3	1		7
3	6		1				4	
					7			8
		8		6		7		
7			3					
	7				4		2	9
5		2	6			4		
	9				2			5

4	9	7	6	5	2	8	1	3
2	6	1	7	8	3	4	9	5
8	3	5	9	1	4	6	7	2
3	2	9	4	7	5	1	8	6
7	5	8	1	6	9	2	3	4
1	4	6	2	3	8	9	5	7
9	8	2	3	4	7	5	6	1
5	1	3	8	2	6	7	4	9
6	7	4	5	9	1	3	2	8

184

	7		8	1			6	
	6	1		7	5	8		
	8	2						
7		8			6			
			1			4		5
						9	3	
		6	5	9		7	2	
	2			6	8		4	

185

	7		1			8	3	
				7			2	
9				3				5
8			5					4
7			9		6			3
5					3			8
1				6				7
	6			9				
	4	9			7		8	

186

	6		4			7		9
							2	
5	9	1			2	8		3
6								
		5	8		3	6		
								5
7		6	9			3	8	1
	4							
3		8			1		7	

1	6	9	2	7	5	8	3	4
8	5	2	4	6	3	7	1	9
7	4	3	8	9	1	5	2	6
3	2	4	1	5	8	9	6	7
9	1	7	3	4	6	2	5	8
5	8	6	7	2	9	3	4	1
6	3	5	9	1	7	4	8	2
2	9	8	6	3	4	1	7	5
4	7	1	5	8	2	6	9	3

7	4	9	2	6	1	5	3	8
8	6	5	9	7	3	4	1	2
1	3	2	8	5	4	9	6	7
9	1	3	7	4	2	6	8	5
4	5	6	1	9	8	2	7	3
2	8	7	5	3	6	1	4	9
6	9	1	3	2	7	8	5	4
5	7	8	4	1	9	3	2	6
3	2	4	6	8	5	7	9	1

189

9	4	3	5	2	8	6	7	1
6	8	2	7	3	1	4	9	5
1	7	5	9	6	4	2	3	8
2	5	9	8	1	7	3	4	6
8	1	6	3	4	2	9	5	7
7	3	4	6	5	9	1	8	2
3	2	7	1	9	5	8	6	4
4	6	8	2	7	3	5	1	9
5	9	1	4	8	6	7	2	3

190

		6	3	7				
	3						6	
		7	2	6		9		1
			1	9				
8		3				1		6
				8	5			
9		5		3	6	2		
	8						5	
				5	2	8		

191

8		9			2			
4			9			8		
	2		8		1			
5		8				1		
1				5				4
		4				2		6
			7		4		6	
		1			6			7
			2			4		1

192

9	6	7		5				
	7	2						
		9	2	8		1		
	8	6			4	9		1
1		7	3			8	4	
		5		2	8	3		
						7	8	
	3		4	7	9			

9	1		4		8		7	
	8				2			4
					5		3	
1	7		5			2	4	
	4	5			1		6	9
	3		1					
8			9				2	
	9		2		4		8	1

194

191		4	6					1
		7				9	8	
6			5	8				
		6			7		4	
		5		3		8		
	4		9			1		
				9	6			7
	6	9				3		
3					1	6		

195

		8		7				
				4	3		6	7
						5	8	
6	9				4			3
		1				2		
4			7				5	9
	4	7						
8	5		1	9				
				2		8		

196

		2	4					
	9			3	8		2	
5			1					3
9							3	
3		8				7		6
	4							5
4					9			8
	8		6	2			4	
					7	1		

197

4	6		7					
3				6				7
7	2			1			5	
		1	9				6	3
6	3				1	9		
	7			4			2	1
2				8				6
					5		7	9

198

2	4		8	5	3			
	1	8			4		3	
9								
		7			1		4	2
8	3		7			5		
								3
	9		4			1	6	
			1	3	5		7	9

199

2	6	9	3	7	8	4	1	5
4	8	5	9	1	6	7	2	3
7	1	3	5	4	2	8	9	6
9	2	6	7	5	4	1	3	8
8	4	7	1	6	3	9	5	2
3	5	1	2	8	9	6	4	7
5	9	4	6	3	7	2	8	1
6	3	8	4	2	1	5	7	9
1	7	2	8	9	5	3	6	4

200

				1		7	2	
	1		9				8	
5			6		4			9
	4	7	8					
		1				4		
					7	8	9	
2			7		9			1
	7				6		3	
	5	9		3				

201

8						7	6	
			8		6		2	
	7			5	4			8
		3		8				
		5	6		1	3		
				4		9		
5			4	1			3	
	2		7		3			
	3	7						1

202

	9			5				
5					9			
8	2	4		7				
		6	8			7		
4	5						8	2
		3			2	5		
				3		8	7	5
			5					1
				6			2	

203

			5		2	3		
					1			7
	1	3					9	
		7	3			2		4
			6		5			
3		8			7	5		
	2					7	4	
6			2					
		9	7		6			

204

3			9	2		7		1
			7					
		2			5	6		
1						2	9	
	5						1	
	9	8						4
		3	5			8		
					3			
7		5		6	4			9

205

6			5	2			1	
		9	8	1				4
2						3	8	
			2	3	7			
	6	1						9
1				7	2	9		
	3			5	6			7

206

		3	7					
			4	9				
5				3		4	2	
1	3						7	
	6	8				5	4	
	4						1	9
	5	2		4				6
				8	7			
					9	7		

207

	8		4					6
9	4	5						
3	1					4	7	
		1		8	6	3		
				3				
		3	7	4		9		
	7	8					3	5
						2	4	8
6					8		9	

208

5						2		1
			8			5		
	4			3		6		
1							7	
			9		1			
	9							5
		3		9			8	
		9			6			
7		6						2

209

		8			3			5
3	2	7	9	1				
		5		6				
2		6						
	8						7	
						9		6
				3		7		
				5	9	2	3	1
9			1			6		

210

		8	3			2		
	3		2				7	1
6				7		4		
	4		9		7	3	8	
	9	3	5		2		4	
		7		2				3
3	1				6		9	
		5			3	6		

211

6	8	4	5	3	2	7	1	9
7	1	3	6	4	9	2	5	8
5	9	2	1	8	7	6	3	4
2	3	7	4	9	8	1	6	5
8	5	9	2	6	1	3	4	7
1	4	6	3	7	5	8	9	2
4	7	8	9	1	6	5	2	3
9	6	5	8	2	3	4	7	1
3	2	1	7	5	4	9	8	6

212

7				4	1	9		
2						8		3
						5		
4			8	6			1	
			7		5			
	5			1	2			7
		7						
9		2						6
		4	6	7				9

213

		7	9			1		
			8					2
	3				1			7
	7					3		1
	1		2		7		9	
9		8					7	
3			4				6	
5					3			
		9			6	5		

214

		4	8		1			5
	1		6					
				2	3	6		
2	7	1				3		6
	3						2	
4		6				9	1	8
		7	3	6				
					9		6	
9			7		2	4		

		2	8					
					4			1
8	5	1					4	6
2		9			8		1	
			9					
	7		1			8		5
3	2					4	5	7
9			7					
					3	6		

		8		2				
5	9		7		8		2	
			4		5			
7						2	6	
	4		6		1		3	
	5	6						4
			8		7			
	6		5		3		7	8
				1		9		

	6				7			
9						7		
		8	5	3				6
2				5	8	1		
	9	6				5	7	
		5	3	7				8
5				6	4	9		
		1						2
			1				4	

						4		5
4				3			7	
				1	8			
8	7	2		4				6
6			7		9			4
3				8		2	1	7
			1	9				
	5			6				9
2		3						

219

	1		4	3				6
		4	1		8			5
	6				2			
3	2							
4			3		6			8
							3	4
			6				8	
2			8		9	3		
6				4	3		7	

220

9			5					2
2		5	7	3				
	3				2		9	
	2					6		
	1		9		6		4	
		6					3	
	8		6				2	
				2	7	8		1
1					8			6

221

9				3				
3		8	6					7
7				1				
	8			6		4		
4			9		3			6
		6		8			5	
				4				5
8					1	9		3
				7				2

222

9		7		1		6		
	1	6	8					
	3							
8			7	9		5		6
	9						8	
7		1		5	8			4
							2	
					6	3	4	
		5		2		8		9

223

					6			9
							7	
		7	2			4	3	6
3		8			2			
5	1						4	7
			3			8		5
1	6	4			3	9		
	2							
8			6					

224

			9	2		8		4
9						7		5
	8	1		7				
		7			6			
1	6						4	7
			4			2		
				4		5	9	
3		5						2
7		4		3	9			

225

		8	7					
		3			2		8	
5					9			4
3				5		8	7	
		5				4		
	6	1		9				3
6			1					5
	2		9			3		
					6	7		

226

								1
			8		4		2	
	4			1	2		6	7
9	1	5		7				
4								9
				9		6	1	4
7	8		3	6			4	
	5		7		9			
2								

227

	5		3		4			
		6		9		5		7
7				1				
	7	4						3
3	8						4	9
6						1	7	
				4				1
2		1		3		4		
			1		5		2	

228

	3							
	8			7	4	1		
		9	8				4	
	1	4			2			8
6		2	1		3	9		4
8			4			5	1	
	4				6	3		
		6	9	4			8	
							6	

229

				1				
6		9					4	1
	5				3			7
		8	5		7		9	
	3		6		4		7	
	7		8		1	2		
5			3				2	
7	9					4		6
				6				

230

				3	4			9
		1	2	9		7		5
							6	4
7		5			8			
				1				
			7			8		3
2	6							
4		7		5	1	9		
5			8	4				

231

4		7			3			
	2	3			8		5	
8	5		2				6	
		2	8	1				
9								5
				9	5	8		
	9				4		3	2
	4		5			9	7	
			6			4		1

232

5							7	
	7	1					9	3
2			7		6	4		
8	1		9					
			3	8	4			
					7		2	9
		6	8		3			2
7	2					3	4	
	5							7

233

3			2		5	4		
					4	6		
9	6			3				
		1						5
2			3		1			6
8						9		
				1			4	2
		8	5					
		6	4		3			7

234

8	1			5		3		2
			7					
	7	4						5
2		8	4					7
5					6	8		3
1						4	9	
					5			
4		7		9			2	8

235

			3				9	
				2	4	1		
		2	5					3
1		8				3		7
	5						8	
7		4				6		2
6					2	8		
		1	4	3				
	8				7			

236

			6				4	
	2			3		5		
3			4				9	1
				4			8	7
8	5						1	4
6	4			2				
5	1				8			6
		9		1			7	
	8				4			

237

7				5			8	
8					2	7	6	5
	5							
	1			6			5	3
2				7				6
3	6			4			7	
							3	
6	9	8	4					7
	2			8				1

238

	5						1	
		6		4	8			9
		2	7				8	
		4	5					
2				9				8
					3	2		
	9				2	1		
5			8	1		7		
	6						2	

2		8	5		7	4		
								6
	4	7			3			
				6			2	3
		2				9		
8	3			4				
			9			2	5	
7								
		5	7		8	3		1

3	2							9
7		9			5	4		
	6		3					
1		3			4		8	
	5		6			3		1
					9		4	
		2	7			5		3
6							1	7

241

9				6				5
5		1	9		8			2
7							1	
			7	4		3		
			6		9			
		4		1	3			
	8							4
1			4		7	6		9
4				9				1

242

241	242	243	244	245	246	247	248	249
				4	5	2		7
8			2				5	3
		2						
4		7	1					5
6					9	3		4
						8		
7	9				3			1
3		4	8	1				

243

6		4			1	8		
				4	3			
5		7	6			9		
		6				1	8	4
				7				
4	5	2				7		
		5			7	4		8
			8	2				
		1	4			6		2

244

		2				9	3	
		4						1
	1			9	3	7		
5	2	7		3			1	
	8			6		3	7	5
		6	7	2			9	
9						6		
	7	8				1		

245

	4							
					4	5		
	1		8	2			4	7
		6	3					2
	5			7			9	
7					1	6		
6	9			1	2		3	
		3	7					
							2	

246

5			8			1	9	
	4	7		1				
9	1				5			7
	2				6			
	5	3		2		8	6	
			3				4	
4			7				1	8
				5		4	7	
	7	9			8			6

3							9	7
				7	4			
	4	1					6	
				3		8	7	
	3		8	5	1		2	
	6	5		2				
	9					7	5	
			3	1				
5	1							6

2	3	7		8				
		1		6		8		
6								3
	9		1		2			
8		2				5		7
			8		4		9	
7								2
		8		3		4		
				2		3	8	6

249

				5			6	
3			1			7		8
		2	6			1		
			5				2	3
				9				
7	9				4			
		7			6	4		
2		9			1			5
	8			3				

250

		2	5				8	
		7	1	6			4	
4	3							
		5	4	8				
1								5
				5	9	2		
							7	4
	6			9	2	5		
	5				4	8		

251

		4	5		7		6	
5	7							2
		6			1			
		9	3			5		
4	6						9	8
		8			5	2		
			1			6		
8							2	4
	4		2		3	8		

252

3			8		2	7		
9	2	8			5	6		
								3
2			9				6	
4		1				3		9
	9				1			2
6								
		7	2			9	1	4
		9	5		8			6

253

		6	9			8		
						9		
	7		5	8		1		2
			4					1
	2		8		5		4	
6					3			
8		1		5	6		3	
		5						
		3			9	5		

254

6	4				7		8	
					3		7	
8			1	6		4		
9								
	6	4				7	5	
								2
		9		5	1			6
	8		3					
	2		7				1	5

255

		5						
	8			7	3			
6			5			1	2	
2	3		1		5	7		
				6				
		4	7		9		1	3
	7	1			2			5
			6	5			7	
						4		

256

	4				1			
1			8		3			
3	5						6	
				1			8	4
	8		2		4		9	
4	7			5				
	6						3	1
			1		2			9
			7				5	

257

				1	9	5		7
7					4		9	
				5			8	1
			2					4
	1	6				8	2	
2					8			
9	2			8				
	7		4					5
1		5	3	2				

258

					8			6
2			6			8		
6	8	4					2	
	5	3	2				9	
			1		4			
	6				3	1	7	
	4					2	8	5
		9			6			7
3			7					

259

		9						8
		7					9	
			5			2	3	7
	1	3	8	6				2
8				4	3	1	6	
6	9	5			7			
	3					6		
1						8		

260

	3	4	5					
9			1		8			7
				6	3		8	
	4	8					9	5
7	9					8	1	
	7		4	1				
5			6		9			4
					2	5	3	

261

		5	8			2		6
6				5	3			
9								
	6	4		9		8		
8								3
		2		8		7	1	
								2
			5	3				1
7		8			1	6		

262

	6			8	5			9
		7						6
		9	3	6			2	8
		8						
			8	2	6			
						4		
2	8			4	7	3		
9						2		
1			2	9			5	

263

7					4			
3	2				7			9
	8	9						
	7		9		8			
1			2	7	3			6
			4		1		3	
						5	8	
5			6				2	7
			7					3

264

	9				7	1		
		1		6				
8				4		5	9	
6			8				4	
			1		9			
	1				4			2
	7	2		8				3
				9		4		
		4	7				8	

265

		2	6		7			
3	8	6						
	1						6	
	4	8	7	2	3			
	3						1	
			5	1	9	8	3	
	5						2	
						9	5	1
			8		1	3		

266

					6		8	
		6		8			3	5
	1		2			4		
		9						8
	3						2	
7						3		
		1			8		6	
4	7			9		2		
	2		4					

		2			3			4
		4	2					7
			7				8	6
	6					5		
7		8	3		5	4		9
		9					7	
4	5				2			
2					6	8		
9			5			6		

9	4							
			3	9		4		8
			8					
	2		5	3		7	4	
		7				9		
	9	4		2	7		5	
					3			
2		9		8	4			
							8	1

269

	5				3			
	7		4					
9		4	5	6	8			
4	1			2		5		
2		5				6		9
		3		1			4	2
			7	5	2	3		1
					4		8	
			6				5	

270

		2		4				1
5					1	2		
8						5	7	
2			4					9
			9	3	8			
4					6			8
	2	1						7
		5	1					4
6				8		3		

271

							6	
		4	1		5	3		8
		9		4				
	5	1			4		8	
8		7				1		4
	9		6			5	7	
				3		9		
7		5	2		1	8		
	4							

272

	3		2				1	8
	5				6		3	
					1			
1				7	2			
	6						5	
			1	9				6
			8					
	7		4				6	
4	8				9		7	

273

					9	1		3
			6		3			2
					4	8	9	
		2					5	4
			1	6	2			
9	8					2		
	6	9	2					
5			4		7			
2		4	5					

274

5		2		9				8
3						2		
	8	7	3					
9	4		7				5	
7		3	1		9	8		4
	5				8		7	3
					4	5	8	
		5						9
4				1		3		7

275

				8		7		3
			1		6			9
			9		7	4		
						2	5	
1	7						9	6
	2	3						
		1	3		9			
7			2		4			
9		5		6				

276

	3	2	5	1			6	
		5	3		4			
7				9				
				3		1		6
	6	8				5	4	
1		9		4				
				5				8
			2		3	9		
	7			6	1	2	5	

277

1	7				2			
		9	1		6			
6	4			7		8		
3	8	2					4	
			3		5			
	1					2	6	3
		8		6			2	1
			8		1	4		
			2				8	9

278

				4				
					9	3	6	
	8		1	7				4
	1	9				5		
	7			6			1	
		5				4	8	
8				9	5		7	
	2	7	6					
				3				

279

	8		1			3	7	
	1			6				4
			9			8		
		1	2			5	4	
3								6
	4	6			9	7		
		4			5			
8				9			1	
	6	2			1		8	

280

	1		5		6	8		
					8			2
8	4							3
		5		6		9		
2	9		8		5		3	1
		3		9		2		
9							1	6
5			1					
		1	6		9		7	

281

		8			2		6	
9						7		8
						5	4	
8			6					4
		9		5		8		
3					4			5
	7	6						
5		1						9
	9		5			2		

282

	6			1				3
			3	6				
		3	8			6	5	
					7	1	4	
6			4	8	1			9
	4	1	6					
	1	9			6	7		
				5	8			
3				4			6	

			4	9			6	1
9	4		6	3				
							3	
		6			4		2	
5	8		1		6		7	4
	2		9			5		
	7							
				6	7		4	5
2	3			1	9			

			3				6	
4								5
		9	4			7		2
					7	4	1	
	7						2	
	1	8	9					
7		1			8	2		
3								9
	2				9			

285

	8		3		2		5	
		1						2
3	9						1	
	3			5				6
		6	7		1	2		
9				4			3	
	6						7	3
5						6		
	1		6		3		2	

286

7		5						
8	6				3		2	
	3			8		6		1
9								3
		8	5		6	2		
1								5
5		4		9			8	
	8		3				5	4
						7		2

287

				3				
		7			2		4	
9			6		1	2		3
		8	4	2			5	
		9				3		
	1			5	6	8		
5		3	2		7			8
	7		3			4		
				1				

288

	9	3	1			2		
8	1						4	
2				6			9	
				4	6	7		
		4	2	8				
	6			2				3
	8						1	2
		9			8	4	6	

289

		8			6	9		5
			7	9				
4		9		5		7	3	
3		1			2			9
5			8			4		3
	1	4		2		3		8
				7	3			
9		3	1			2		

290

			6		7	4	5	
				5	8		9	1
				9				7
		3		2			7	
	7	2				3	4	
	9			6		5		
2				7				
6	4		1	3				
	1	5	8		2			

291

6	1				7	3		2
4				2				
3					9		8	1
1	8						2	4
5			6		2		1	3
9							5	
2	6		9					7
4			2	7				
7	3	8	5			2	1	9

292

6			7					4
	7			5	3			
	4					5	1	
5	1				9		2	
	9		6				3	8
	2	4					7	
			9	3			4	
8					4			1

293

6		4			9			
8		7		4				
	2	1		5				
	7		9	2			3	
1								2
	4			6	8		5	
				1		7	2	
				8		5		9
			4			8		6

294

	1		7	6				
	3	5						
8	6			5				
	5		9				3	4
2								5
3	8				5		7	
				4			8	2
						4	9	
			7	6			5	

295

6		5	7	1		2	3	
			3					
		4				7		
		1		2	6			
5								6
			1	9		8		
		7				1		
					9			
	3	2		5	1	6		8

296

4		9	3					2
		6		2		7		
					8			5
	2						3	
		3	6		9	2		
	9						4	
1			2					
		8		6		1		
3					7	9		4

3								5
				4		1	8	2
	8	2	9					
	6				1	8		
	2	1				4	5	
		9	8				1	
					6	2	4	
2	3	6		5				
7								6

	3			9	1			
1	8			3			7	6
	5	9						
5			3	2	6		9	1
9	2		8	5	4			3
						2	3	
2	9			6			4	5
			2	4			8	

299

	1		5			9	6	
	7			3		1	4	5
								7
				5	9	4		
	4						1	
		8	1	7				
4								
2	9	5		4			8	
	6	7			3		9	

300

	7		5	9				
		4	1				9	
				7		2		8
6			3	8			4	
9		2				1		3
	3			1	7			2
8		1		6				
	2				1	4		
				5	9		2	

301

9		1		3				
6			1	7			8	
					6		1	5
	9	3	8					6
5					3	7	9	
1	3		5					
	4			2	9			1
				6		3		4

302

								7
6			7				5	
4				1	3	9		
		9		3			8	5
	8			6			4	
2	1			5		3		
		3	9	4				8
	5				6			3
8								

		9	7	4				2
			8				6	
	1				9	3		
	2			1	4		7	
	5					9		
	7		9	8			4	
		3	4				1	
	6				7			
7				9	8	5		

304

	3			7	4	5		
			2					
2		9		8	5	3		
				5	8		4	
9								8
	2		1	6				
		7	5	2		6		3
					7			
		1	8	3			2	

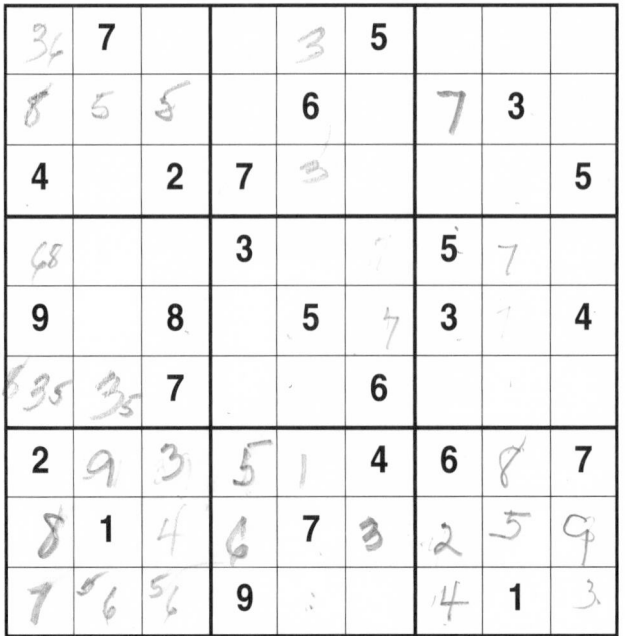

	7				5			
				6		7	3	
4		2	7					5
			3			5		
9		8		5		3		4
		7			6			
2					4	6		7
	1			7	3			
			9				1	

								9
3	7				4	6		
9				1	7	4		
	1	4				5		
			1		5			
		9				2	8	
		7	8	2				6
		1	5				9	2
5								

6	2	5	3	1			4	
		8						6
	7				8		3	
		3		5			9	
			8		1			
	9			4		6		
	5		9				1	
3						2		
	1			3	2	8	5	4

			5		7	1		
1	7	4	3					
3		8						
8		3		9				
	2						7	
				6		3		5
						6		7
					9	8	4	3
		6	4		1			

309

	8			7			6	
6				1	5			4
			6		8			
		1	8		7	5		
	7						4	
		3	1		6	2		
			7		3			
2			5	8				6
	3			9			1	

310

5			4					
3		7		2		9	4	
		6	8				5	
9				1	3			
	3						1	
			9	5				4
	7				1	8		
	9	1		4		3		5
					2			1

311

1	3				2	6		
			7			4		
						2	1	
		6	8	9	3	7		
		8	6	2	4	5		
	8	9						
		1			5			
		7	4				6	5

312

	2	1	7	6	4	3		
	9							
6	7			3				2
		3			7			
			8	4	5			
			3			7		
8				2			5	9
							4	
		6	1	8	9	2	3	

313

							1	4
	9			8	4	2		
8								9
		7				6		
	3		6		5		2	
		8				3		
7								3
		2	7	1			8	
4	6							

314

2	9		6		1	5		
					2		8	
7							2	9
	1			8				
6				3				5
				6			7	
9	3							2
	2		7					
		6	9		4		3	8

315

		9			3		4	
	3		7				2	
4				9	6		7	
	5					7		
6								3
		2					5	
	1		9	5				6
	6				8		3	
	4		6			2		

316

6					8			2
	3	5		1	2		8	
		8	6	3				
		2						8
				5				
1						7		
				6	4	9		
	9		1	8		3	6	
3			2					1

317

	2		9				1	7
					7			
	5	7		4				9
		3	2	1				
		4				1		
				8	6	5		
2				9		8	3	
			7					
9	6				1		2	

318

		3			8			1
							4	
2			5	4				3
			8		2	7		
7	3						5	2
	6		3		1			
6				1	9			4
	7							
1			4			6		

319

	7					6		
8				9	6		4	
	6	4				9		3
			4		9	3		
	8						5	
		3	5		2			
2		7				4	6	
	4		2	3				7
		5					3	

320

		2		5	9	1	7	
	1	5	6	7			3	
	7						6	
				3	8			
		1				3		
			9	6				
	8						9	
	9			1	6	2	5	
	2	3	4	9		6		

321

	6				8	7		
	4					5		
5			7				8	
	3			9		4		
1			5		7			9
		5		2			6	
	7				5			6
		3					5	
		9	6				7	

322

		1		8	4		5	
		4		2			8	
8			6				7	
					5	2	1	
	3						6	
	1	9	4					
	4				6			5
	7			4		1		
	5		7	9		8		

323

			1		3		5	
			5					6
			7			1	2	
2		7		4				5
		9				8		
6				5		4		3
	2	1		6				
7					9			
	9		4		2			

324

			6				5	
					7		4	1
	5			3		6	9	
					5			4
		9		1		2		
8			2					
	2	1		5			3	
3	7		8					
	9				4			

325

			6				2	5
					4			9
					2	3	6	
6							1	4
		4		3		9		
	7	5						6
	4	7	3					
2			9					
5	6				8			

326

3				5	7			
9		6						
	4			8	6			
	5				1		3	
	7	1				6	4	
	3		5				2	
			2	1			7	
						1		8
			4	3				2

327

		2	6	5				
7	6			4		9	5	
9	4							2
6			1				9	
		7				4		
	3				4			7
4							2	1
	7	9		1			8	6
				7	6	5		

328

		6					7	
9				1	2	4		
1	8							9
3				5			8	
			7		3			
	5			2				7
2							4	8
		1	4	9				5
	9					7		

★★★☆☆

329

1		2						
	7	6			5	8		
		3	7	1			9	
			4			5		
6			1		2			3
		5			7			
	6			4	8	1		
		9	2			7	3	
						6		8

330

1								
	5							3
7	1		3	9				4
	3	6		8				
			8	3			7	
			2		7			
	7			5	9			
				1		7	6	
2				7	4		3	5
8							1	

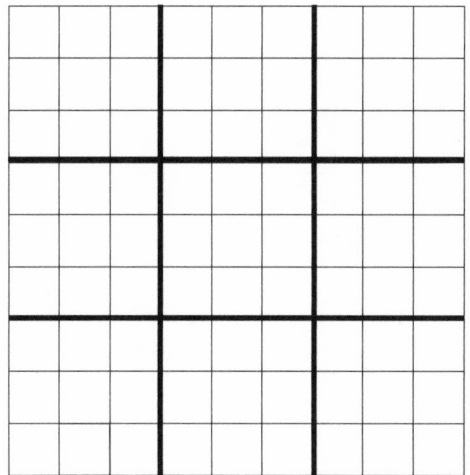

			8	2			5	
5					9	4		
	1							7
7				3		8		
	9	6	5		4	7	3	
		8		1				9
4							6	
		9	2					8
	3			5	8			

		6			1			
		3	8					6
4		1			6			
	6							8
	7		5		3		4	
2							9	
			9			8		3
1					5	9		
			2			7		

333

	3			8	2			
		8						
	1		4		5	2		
	2	3			9			1
1		6				8		9
8			7			3	6	
		1	9		8		7	
						4		
			3	4			8	

334

	1			2		9		
		8	1		7	4		5
4								
						2		1
8			4	6	2			7
3		5						
								9
1		2	9		6	3		
		4		8			5	

335

	4			5	6	1		
	2						9	4
			4			6	7	
			3	2				
8								9
				1	7			
	3	4			2			
2	9						4	
		1	9	6			2	

336

					9	8		7
7				8				
	2	8	7		6	1		9
		3	6		1			
	9						7	
			3		5	2		
9		7	1		3	5	2	
				5				6
5		4	9					

196

337

7		8	2			1		
1		2			7	6	8	
								9
			4		8		6	
8								3
	5		9		6			
4								
	8	9	7			3		6
		7			5	2		1

338

5				7		6	9	
7	9	3	6		5			
					6	5		
3	2			5			4	6
		4	9					
			1		8	4	2	3
	3	6		2				7

339

8		7		5				6
	1	2			8		5	
	6		2		9			
					3			
4		1				3		8
			5					
			9		7		8	
	7		1			2	4	
6				3		1		9

340

3					7		6	
7	5			4				
	4					3		
		5		2	8		7	
		9				5		
	3		7	9		1		
		1					9	
				1			2	5
	9		6					1

341

	5	2	9					
4		9					2	
7		3	5	2				
9				6		1		
	6		1		5		8	
		1		9				6
				4	7	5		8
	2					4		3
					1	2	6	

342

							8	
1		9		7				
4					3		7	1
	7	2			4			5
			3		6			
6			7			2	4	
7	5		4					3
				1		8		4
	8							

343

		9						
	3				8			2
	4	7		9			6	
			6	7				5
	6		4		1		3	
4				2	3			
	1			4		8	2	
8			1				7	
						6		

344

				6	4	9		
5							3	6
6	7				9			2
	1			9	3	5		
		7	2	5			6	
9				4			1	7
1	2							5
		4	1	3				

345

5		7	6		9			2
		9				4		
	8							9
7				5	6		3	
		5	2	1	8	9		
	9		3	7				5
2							4	
		3				2		
9			4		7	1		3

346

4					5	3		
5		1				8		4
9			3	4		1		
			6		9			
				2				
			8		7			
		5		8	4			1
8		6				4		3
		2	1					9

347

	3	8				9		
					1			3
5			2				7	
	6	2		3				8
8								6
4				8		5	9	
	8				7			9
1			4					
		5				6	4	

348

			4	1			5	
	3		5		9	2		
4					3			
	4		6					1
	7		2		5		3	
2					1		4	
			9					6
		2	3		4		9	
	6			5	7			

349

					2		9	8
2			1			6		7
		4					1	
				1			3	
5			7	2	6			4
	7			8				
	9					1		
1		6			7			9
3	8		5					

350

							4	6
	3	5		2				1
9				7				
	5	1			7			
		7	1		9	6		
			5			7	1	
				8				3
6				5		1	2	
5	4							

351

				2	9			
7	1				5	4		
							5	6
3		7				8	1	
		9		4				
	2	8				6		5
4	7							
		6	4				7	3
			2	1				

352

	3	2	5					9
				6			3	
		7	3		8			
2	7	8		5			4	
	9			4		3	2	8
			1		6	5		
	4			8				
7					5	6	8	

353

					8		4	1
		1		2				
		9				3	8	2
		5			7			3
	6			3			2	
3			4			9		
7	1	4				6		
				1		2		
5	9		8					

354

		2				8		
			2				9	
		3			8			4
	4		8		2			3
5			3		1			9
1			5		7		2	
3			1			9		
	8				5			
		6				4		

355

2	9		4	3			5	
					7			
		1	5				8	4
3	8						7	
1				7				3
	7						2	9
8	4				6	2		
			2					
	2			8	4		1	6

356

5			8					
	4	8			2			
	7	1	5	4	6			
		2	9				3	
6				3				9
	3				5	7		
			2	8	9	6	7	
			6			8	2	
					4			3

357

8			2		6	4		
1			8	9				6
	6		7					
	4			3		5		
		9	6		8	7		
		1		7			6	
					7		3	
7				6	2			9
		6	1		9			5

358

8				7	1		9	
	4					1		5
7					8		2	
	3	9				7		
2								1
		8				9	3	
	2		4					3
3		4					5	
	8		9	3				

359

								2
2		6		3	5			8
	5	4		7				
		1			8	5		
5	9			2			8	3
		8	5			1		
				5		2	7	
7			6	8		3		5
4								

360

5		8	7					
		3				6		7
1				6				8
		6	1		7	8		
			2	9	6			
		1	5		3	9		
8				5				3
6		9				4		
					4	7		6

5		9	4					
	2			1				
	3				8			
	4		2	8				7
7								9
1				6	3		5	
			1				8	
				5			7	
					4	9		3

9	4			6		5	3	
	6						9	
8					3	1		
			2					
6			7		4			8
				9				
		5	9					1
	9						4	
	8	6		5			2	3

363

	1		7			9		
9	*8*	*9*			5	3		
3	*8*	4		9				
	9	3		7			6	
8			6		3			9
	6			1		8	5	
				6		2		1
		8	2					
		6			1		7	

364

			5			3		
6				7		9		
		8	1		3			6
	7		2					
4								2
					1		5	
1			3		9	7		
		9		1				8
		5			7			

365

				6				
5	4				8	7	3	
		2	4		7			
	6	8				2		3
	7						5	
2		5				9	1	
			2		1	6		
	2	1	6				7	4
				7				

366

		6		8				7
				4	6		1	3
							2	
	3	8	9					5
9								1
1					2	8	9	
	8							
5	9		1	3				
4				9		3		

367

4						7	6	
3			4				2	
				6	2			4
	4			9			1	2
		8				9		
2	5			1			3	
8			1	4				
	3				5			9
	2	4						1

368

	5			7	4			
		9	8			6		7
3			9					
	9							
7	4		1		5		2	6
							5	
					8			3
5		1			6	7		
			5	4			6	

369

				1		4		
					3			
3	7		4		9			8
2		4					6	
5		6	3		2	7		4
	8					3		5
6			8		4		9	7
			7					
		8		2				

370

3	2		4					
					2		4	
	8		6	1				7
	1	3	8					
		5				1		
					1	7	3	
2				7	9		6	
	5		3					
					6		9	5

371

							1	4
1				8	2	3		6
2		7						
	3		2			9		
6								3
		1			3		2	
						4		2
5		3	8	9				7
7	4							

372

8	7			2				1
		2		1				
	1						9	3
				9	2	6	3	
			1		5			
	4	6	7	3				
1	8						2	
				5		3		
3				4			1	7

373

				5				2
	1	2	3	6		9		
			2			3	4	
1							2	
7	2						6	3
	8							7
	9	1			7			
		5		2	3	4	8	
2				8				

374

	6		2		3			
4								3
1				7			6	2
			8	3			7	
8								4
	2			5	1			
7	1			6				8
6								1
			9		5		3	

375

			4		7			
		3				2		
4	2		1	9				
3				8		7		5
9		6		5				3
				4	5		1	9
		8				4		
			7		6			

376

6				3				7
								8
	5	1	8		2		6	
	6		9	2				
		4	6		1	7		
				7	3		1	
	7		5		4	9	3	
4								
9				1				5

377

	7	5		9	4			
								2
9			2	8			7	
	3	4						
			5		6			
						2	1	
	6			4	5			7
1								
			7	2		9	3	

378

3	9		4				8	
2					3			9
		5			2			
				7	6	5		
7				5				6
		2	3	8				
			9			8		
1			7					3
	4				5		1	7

379

		7			3		9	
		5		4				
	4			5		7		6
		3			2			
	7		3		9		1	
			1			8		
9		6		1			4	
				9		6		
	5		7			1		

380

6				8	4	1		
			2				5	
						6		3
	5			3	6			9
1	7						6	4
3			4	1			2	
8		7						
	4				8			
		1	3	9				7

381

					4	2	5	
			7	5		4		1
					6			7
				6	8	1		
	2						8	
		7	9	2				
7			1					
2		1		8	7			
	3	6	2					

382

9		1	2					
		3			6	1		
	4		1					3
4					1			
	6			8			2	
			5					4
5					8		4	
		6	3			7		
					7	3		6

		4	8			1	9	
	7		5			4		3
	1		4				6	
			3	5				
7								1
				2	6			
	5				3		2	
6		7			5		1	
	3	9		7		6		

			5			2		
	2	8		4				6
					3		9	7
				6			7	5
		7				8		
2	4			7				
1	9		6					
6				3		4	1	
		3			7			

385

3		1	2				9	8
8		9	6					
	7		5					
					9		3	
2		3				1		5
	4		3					
					6		2	
					3	6		1
6	3				5	4		9

386

5			2			1	3	
		2		8				
		1			6		7	
	5	4	9					8
		9				3		
3					1	9	5	
	2		7			4		
				9		7		
	9	3			2			5

387

			1	3			4	
	9	1						5
6			5					
		4		1			6	
1	8			2			7	9
	3			8		1		
					3			8
5						2	1	
	6			4	1			

388

1		9			2		4	
	3							
	8	6			7	2	5	
			2	9		8		
	6	2				5	9	
		8		7	5			
	4	3	7			9	1	
							3	
	5		9			7		4

389

1						7		3
	8						5	
	3	5			7			1
3	1		7			5		
		8	9		6	3		
		6			3		7	9
5			8			4	1	
	4						8	
8		1						6

390

5	9			1				2
		7		3			9	
1				8	5	6		
		9						
7	8						1	5
						8		
		8	3	4				6
	7			6		9		
2				9			4	3

391

8					1	3	5	
					7	2		8
			8				4	
				2			1	
2		6				4		9
	5		3					
	8			5				
6		9	8					
	4	1	2					6

392

		5			1			
	4		5		2			8
			9				1	5
		2	1		6			4
		9				3		
5			2		4	7		
2	8				9			
6			7		3		9	
			6			1		

393

	8	1				4		
2					8		9	1
				6				2
					4		8	
		2	5		9	3		
	7		2					
6				4				
7	4		8					3
		9				1	4	

394

	6			3			8	
			4					7
	1		8		7			
4		5				1		
	2	1				6	7	
		9				2		8
			6		3		2	
1					5			
	9			8			5	

395

		3	6				8	7
5					4	1		
6		8						
	5		2				9	
8		4				7		1
	9				1		4	
						9		4
		1	3					6
7	8				5	3		

396

		3						
8			1			4		
2		6	8	7				
		4	9		5			3
	2			1			4	
5			4		2	8		
				9	8	5		2
		2			1			7
						3		

397

			6			7		
	4			2	7		6	
	8	5					4	
	6		9	4				
	4						2	
				3	6		7	
	9				1	6		
	8		4	9		5		
		1			3			

398

4			5	6			3	
					2			5
5	7	6			3	8		
		3	2	5				
				7	8	9		
		5	3			1	2	6
2			8					
	9			2	5			8

399

		2		4			7	
		6		7				1
7	4	9				8		
1				2	5		8	
		8				2		
	9		7	8				6
		1				3	2	4
4				1		7		
	8			3		1		

400

	6					9		
2				6				3
1			5	8	7			
			1			3		
3	4						5	7
		8			4			
			8	5	3			2
8				7				5
		6					3	

228

401

	6		5					
	2			8			6	
9		4			7		5	
7				9		5	1	
	4	5				9	3	
	9	8		5				6
	7		2			6		3
	5			4			8	
					6		9	

402

		5		2				4
6	8				9			
1	9	2		5				
7	5		6	9				
				7	8		6	1
				3		4	1	8
			1				3	9
5				8		2		

403

		5	8				2	
		2	7		3			
3			5					
	6	7				8		9
	9						4	
4		3				6	7	
					9			4
			2		1	5		
	4				8	1		

404

	5	3						2
1			5	8				
				3	4	1		
				2	9		1	
	7						4	
	9		7	4				
		2	8	7				
				1	6			4
7						8	6	

		9		3	4	8		
			5	2	8	6		
5	8		9	6				
	1			9				
3		6				9		2
				7			1	
				1			6	7
1		4		8	9			
		2	3			1		

	4	5	8					
		7		3	9			
8					1			9
7		4			5		1	
		3				5		
	1		6			8		3
4			2					1
			9	1		3		
					4	6	9	

407

	4		2		6			
9		1		4				
	5		8					3
2				3		4		
		9				6		
		7		2				8
8					5		6	
				8		7		1
			1		4		8	

408

	8			3			9	
4				9	1			
						2		1
2			1		7	5		
	4						8	
		7	3		8			9
7		5						
			9	7				6
	3			8			1	

409

7		3		8				5
9	1	2						
5					3	7		
3				2				
	7	9		1		2	8	
				9				7
		1	4					2
						3	5	8
6				3		9		1

410

	5				9	2		
3							7	
	8	1	7				4	
				9	6	5		
			1		7			
		4	2	5				
	2				8	7	6	
	1							9
		7	5				3	

411

	7			2			9	
	2		5					4
4				7		3	8	
	6		1					
1			7		2			6
					9		1	
	1	5		4				8
7					3		2	
	8			1			6	

412

		9				7		
2				8				
					3		1	
1	3	2		7			6	
7								3
	9			2		5	7	8
	8		9					
				4				1
		5				4		

413

		3						9
	1	7			9			
6		9			7	8	3	
5	6		1					
				7				
					5		8	6
	3	8	5			4		1
			7			3	6	
7						9		

414

		5	1	3		4		
				5			7	
	4					5	8	
8					3		9	
1		3		6		7		8
	5		4					6
	2	6					5	
	3			2				
		7		4	6	3		

					4		5	8
	9		7	5				1
		2		8				
	4			3				9
		6	2		5	1		
2				4			8	
				6		3		
8				9	7		6	
6	7		4					

416

4								
		9		7			1	3
	8		3			7		
					3		2	
5			8		6			1
	6		2					
		2			9		6	
7	1			5		2		
								4

417

8			3					
	3	4		1	7	2		5
	5			8		3		
	9	8		4				
2		5				4		8
				2		6	5	
		7		6			9	
5		9	1	7		8	3	
					9			2

418

2							1	6
	9				4	3		
3			8					
	4			1				
7	5		6		8		4	2
				2			6	
					5			4
		6	9				8	
4	7							3

419

				4				9
		9	1			4		
				5	9	2	8	
	6					9		5
7			6	3	4			1
4		1					6	
	4	3	2	6				
		7			3	5		
8				7				

420

								1
2				1			6	5
8			9		5		3	
6	8					2		
		7	2	5	8	9		
		2					8	7
	2		1		4			8
5	3			6				9
7								

421

	6	5	7		8			
	9		4					
		2		1	9			
	3	9					5	7
		6				1		
2	7					3	6	
			9	5		2		
					4		9	
			6		2	7	8	

422

8	5							
9				3		8		
4			8		5		6	
	9	5	1			3		
7								6
		3			6	5	9	
	2		5		1			9
		4		7				2
							5	8

423

	8	5			6	2		
			1					8
		9					7	
			6		4		2	7
	6			7			5	
2	1		5		8			
	5					7		
8					2			
		3	4			9	8	

424

2			5					
1	7			6	9			2
		6		1		5		
6		8				3		
	1			9			8	
		7				9		5
		2		5		7		
7			6	2			5	8
					7			4

425

		2	8					
		6	9					
7	5			2	1			
		3					9	
1	2		3		7		4	5
	6					2		
			2	6			3	7
					8	1		
					3	9		

426

8			1			3	5	
		5						2
	3			9		1		
			6			7		
7			4		5			9
		8			1			
		3		5			4	
4						2		
	9	7			4			8

427

9	5							
		3					2	
		2	9	7				4
		7	5				6	
		5	6	1	3	7		
	9				7	4		
5				3	1	8		
	6					9		
							7	1

428

3							8	4
	6				5	3		
	9			3				
6	3	4			9			
			6	7	3			
			8			5	3	6
				8			5	
		5	1				7	
8	7							9

429

	6	7	1		8	9	3	
	4			7	9			6
	1				6	2	4	
	8	5	7				6	
8			6	5			7	
	5	9	4		7	8	1	

430

1	2			3			9	
						1		
				1	2		5	
	9			7	4			1
7		1	8		9	3		5
4			3	5			6	
	3		2	6				
		5						
	1			4			7	9

431

	7			9				
8		1	5		3			4
				7	2			3
			7		1	2		
1				4				9
		2	9		5			
7			4	2				
4			3		9	5		7
				5			8	

432

		8			3			
5	6	7						
3	9		7			4		
		3	5	4				9
	2						8	
7				2	9	3		
		6			2		9	5
						2	6	4
			9			1		

433

4					8			
8		9		4	7		6	
			5	2				
							7	9
	4	3	1		9	6	5	
9	8							
				3	5			
	6		8	9		4		7
			7					6

434

434

4		9		2				
	2	7				1	4	
4		6			7			
1		3	9	7				
				1				
				8	4	3		9
			2			4		6
	6	1				8	3	
				3		5		

435

4				7				
8		2			9	5		
			5	2				6
1			3				4	
		3		5		9		
	8				2			3
9				3	5			
		4	7			8		1
				8				5

436

6			1		3	9		
3		2			7			
4						5	3	2
	6					3		
1								5
		8					9	
8	2	6						3
			7			6		9
		9	3		5			1

	3		5		6			
			9					3
	7			4			9	6
		4			5			7
	9		3		4		2	
8			2			9		
6	8			5			4	
5					9			
			6		2		7	

		9	1					8
4	3			6				7
7					9			
1				8		6		
3	4						5	1
		5		1				4
			3					6
6				4			3	2
2					1	7		

439

		4		2				5
5					3	2		9
	6		4			3		
			7				8	
	7		1		9			
	3				6			
		6			4		9	
1		3	5					7
7				9		5		

440

	3		4				1	
	8			2	1	7	6	
2				6				
		8	5			4		
9								6
		5			9	8		
				9				4
	6	3	7	5			9	
	9				3		8	

441

						2		
2			5					6
		7		2			4	5
		9		8	5		7	
			6		2			
	5		4	7		3		
3	8			1		7		
6					3			9
		1						

442

		6		4				7
		7	5					8
	3	9						
	8		6				7	9
			4		1			
1	6				9		2	
						9	1	
3					5	7		
7				3		4		

443

4	5							
		6	9			3	5	
	1	7	2					8
					8	2	3	
		3	1		2	8		
	2	8	7					
7					1	5	8	
	6	2			7	4		
							7	2

444

			2					7
		6				2	5	1
				6		8	4	
1			6	7		5		
8			4		5			9
		9		2	1			4
	8	3		1				
2	7	1				3		
6					2			

445

			4			8		7
		4			9	1		2
	8			1	6			
	6				7			
3			1		8			6
			6				8	
			9	5			7	
4		5	3			6		
7		3			2			

446

		8		2	3			5
1	2	3	5					
	6							
	1		3		4		5	
2								7
	3		2		7		9	
							2	
					6	1	4	8
4			8	9		5		

447

3		8		9				6
	9				8			7
			3		6	2		
		3						
		7	2		3	1		
						6		
		1	9		4			
6			7				2	
4				6		7		3

448

			4					
7		2	1	5				8
6	1	4				5	2	
		8	7				3	
				8				
	7				2	8		
	6	5				2	4	7
4				9	7	1		5
					5			

449

			5	2				9
1	2				9		4	7
9		6		4				
						2	9	
4								5
	5	1						
				9		1		3
8	4		3				6	2
3				6	7			

450

8							5	
		4	8					
1				7	4			9
	5					3		
	2		9	4	6		8	
		8					2	
3			7	5				8
					1	6		
	7							1

451

1			7		6		3	
	8			5				
	2	6					9	
6				3		9	4	
			1	4	9			
	3	9		7				2
	6					3	2	
				6			7	
	4		3		5			6

452

		9	8	7			5	1
				2	1	8	7	
			5					2
6		3	9					
				8				
					4	5		6
5					2			
	2	8	3	5				
4	9			6	8	2		

453

					7			2
5	9	3		2				
7			9				5	
	6	1						3
				3				
3						4	2	
	8				5			9
				1		2	7	4
1			6					

454

3	1	8				4		
5				3	6		1	
	9							
		3	7		2	1		
	5		4		8		6	
		1	6		3	2		
							4	
	6		9	2				8
		7				5	9	2

455

			9		6	8		3
5	8				2		7	
		3		5				1
		9	5	6				
	5						1	
				8	3	5		
9				7		1		
	4		6				9	7
7		8	1		4			

456

8		2		4				
			1		2			
	7	1	9			8		
4				2	5			
	8						6	
			4	3				1
		9			4	1	5	
			3		6			
				5		4		6

256

457

8	6				1		3		
1				7		6		8	
				4			6	7	
								2	5
2				5		9			8
5	1								
	9	5				4			
	2			6		7			3
		3			5			4	6

458

2			2			9			
8	9				4				3
		3					5		4
				8	6	7			
2									6
		5	4	2					
6		7				3			
4				5				2	7
			6			8			

459

			6		4			
		5					2	
4	8			2				
		8	3					6
3		1		6		2		5
2					7	3		
				3			9	1
	4					7		
			5		6			

460

9					4		6	
	4		1		2		5	
			9			7		
	9						3	5
2				3				1
8	3						2	
		8			6			
	1		4		5		8	
	5		2					3

461

		6				8		7
	4		8		6		9	1
				2				
3			5			4		2
4		5			7			6
				7				
2	8		6		9		1	
1		4				2		

462

	8				6		4	
					5	8		
			7	8		1		
6	5		8					
	2	3				5	6	
					2		1	9
		1		4	9			
		8	3					
	6		2				5	

463

		2	7		6		5	
4				2	3	8		
			9					
	2					9		7
	8	9				4	6	
6		3					8	
					1			
		1	6	5				9
	4		8		2	1		

464

6			9					2
	4				8	3		
						5	6	
2		4	7					
3	9		2		5		4	6
					4	2		5
	1	3						
		5	8				9	
8					1			4

465

			4					8
							1	3	
5				1	3			6
	9		8					2
	1		2		5		6	
8					9		7	
1			6	2				3
	5	2						
7					1			

466

			9				7	
8		6	7	4	5	9		
					8	5		
7			6	9				3
3				8	2			5
		2	3					
		8	1	2	9	6		7
	6				4			

467

		7				4		
	5					1		
			7	6			9	
7					6		4	
	3	6		4		7	8	
	9		5					2
	7			5	9			
		2					1	
		4				6		

468

			8	5		1	7	
	8	7	6					5
				3	2			
		9					5	6
8								3
5	3					7		
			1	8				
9					5	4	8	
	5	8		2	9			

469

5		2	1					
	4		9					3
					8	4	1	
1				2	7		4	
			6		1			
	9		4	8				7
	5	7	8					
3				7			9	
				3		5		8

470

	6		7				9	
7			1		3		5	
			4					7
4	9					8		3
	5						6	
2		3					7	4
5					7			
	1		5		8			9
	7				1		4	

			8	9		3	6	
							9	
	6	9				8	7	2
				4	8			7
5								8
3			2	1				
9	5	1				2	8	
	4							
	7	6		8	4			

1				2			5	
9		4	5	1				
	8				4			1
2		3		4	6			
			7		3			
			2	8		1		3
3			4				6	
				3	1	5		9
	6			7				2

				3		2		4
		1	4	6				
		5					3	
		3		8	9			5
	9						2	
6			2	7		9		
	6					3		
				4	8	7		
1		2		9				

		9	1			4		6
	4			5	7	3		9
8								
5						1	7	8
1	6	8						4
								7
2		3	7	6			4	
9		6			4	2		

475

	2			5		3		
				7			2	6
					8	1		
9				4	5		7	3
	4						6	
8	3		9	2				5
		4	8					
2	7			6				
		1		9			3	

476

					8		3	7
		1				6		
8		9	2					5
1		2		3				
			8		9			
				1		7		6
9					6	8		1
		5				3		
6	4		3					

477

1	6						2	
7			3					
	3		6					
		9			3	8	4	2
	1			4			7	
2	4	8	9			1		
					7		1	
					6			4
	2						3	5

478

				6				
5	3	4						7
	1	7				2		
	4		3		8			5
1		5				3		4
3			4		7		1	
		2				4	9	
4						6	5	2
				4				

479

			1			6	8	
8				6				5
		6					3	7
			4				5	
			7	8	5			
	2				9			
5	9					7		
2				4				1
	4	3			6			

480

3			6	1		8		
			9			1	7	
1	8				7			
9	5		7		3			
			4		1		9	6
			1				3	5
	6	1			9			
		2		5	6			9

481

4		1				7		
3			6					2
	8			2		4		
	3		5					
6		5	7		3	9		8
					6		3	
		4		8			1	
5					1			9
		3				2		4

482

2		3	6		7			4
	1			3		9		
	5		8					
9	2							
			4	6	2			
							3	7
					3		4	
		2		4			5	
3			7		8	1		2

483

9						3		
	4	3		7				
					8	6	4	
1					4			
	2	4	7		3	8	5	
			2					3
	6	9	5					
				2		5	3	
		7						2

484

	4			8	2			5
6	2			1				
		1					2	6
7				4	5	2		
		8	7	9				1
9	8					3		
				5			6	9
5			9	6			1	

485

				5	8		9	3
								8
				5	8		9	3
				1	9	5	7	
4	2			7			6	
1								9
	3			4			2	5
	4	8	3	9				
3	9		1	2				
6								

486

6					3		9	2
		7		5				
3		1				4		
		3			6			
	2		4	1	5		7	
			9			5		
		8				2		4
				6		9		
1	5		2					3

487

9	8		7			5		
		6	5					
	7		2	6		3		
	4					8		3
2								7
6		8					5	
		4		2	5		3	
					3	6		
		3			7		2	1

488

	8			1		6		
6				4			3	
	4		6				1	8
4		3	9			8		
		7			3	4		5
2	1				7		4	
	3			6				7
		8		5			2	

489

4	8				5	3		
				1				
		1	8		9		6	
2						6		8
	9		5		3		7	
8		7						3
	7		1		4	2		
				6				
		3	9				1	7

490

3		5	6		2		9	
	9	7				6		
								3
8					7		1	
	1	2				3	4	
	4		3					2
9								
		8				4	6	
	6		5		8	2		1

491

	8		6			4	7	
4		5		1		9	3	
					7	5		
					8	7	1	
	2	9	1					
		7	5					
	5	8		9		2		4
	9	1			3		5	

492

	7		1				4	
4	9			7	2			5
				3				1
		7	4				5	2
			3		5			
1	4				7	6		
5				8				
6			7	4			1	8
	1				6		2	

493

			4		7		9	
	1	7	3					2
2				6				
	2							5
	4	8				9	3	
5							2	
				5				8
1					3	4	6	
	6		8		4			

494

		5	9				7	
6				7				
			8	2	5			
	3					8		7
8	5						6	9
2		9				4		
		8	7	2				
			9					4
	7				3	2		

495

		8	3					
3	9		4					
5	7							4
				3			4	5
7			6		2			9
8	5			1				
2							5	1
					8		9	2
					9	6		

496

		4	9					
7						2		
	6		3		1			8
	9				8			
1		3				7		4
			6				8	
4			1		3		5	
		9						2
					2	3		

497

4	7		6	5				
		3			7		8	
		9		4		6		
	3							
		7		1		5		
							1	
		5		8		4		
	8		3			9		
				2	5		7	6

498

1	2	3	4	5	6	7	8	9
		2			3			
	9		6	2				
6		5	9	7				
4			8				6	5
		8				3		
2	6				4			7
				9	2	4		8
				1	6		3	
			7			1		

499

				7	3		1	
		5						
2	9		5				8	
				1	9		4	
1			8		4			7
	3		7	5				
	5				8		7	1
						6		
	2		1	3				

500

		4		8			2	5
				4			9	7
				9		4		
8					2		4	
		2	5		6	7		
	7		8					2
		5		1				
	1	6			4			
7	8			2		1		

501

		9	6					
	1				4			5
	8		3				4	
		8		3	2			7
	2		5		7		6	
7			8	4		5		
	7				9		5	
3			2				9	
					3	6		

502

		9					1	
7			2				9	
				6	9	4		
	1			7	4	9		
				5				
		7	6	9			8	
		3	9	1				
	6				8			2
	4					5		

503

				7		9		
	4	7	9		3		5	
	8		5					
6					9		2	
		8				1		
	7		6					5
					6		4	
	1		2		5	8	6	
		4		3				

504

		6	5		4	8		
9		1			8	6		
	4			7				
	6	2	4					
5								1
					3	5	6	
				3			4	
		9	8			7		6
		5	2		7	1		

505

					2			1
	9		6				8	
		2	9	7	8			4
		5					3	6
6				3				9
9	8					2		
4			7	2	3	6		
	1				6		2	
2			1					

506

			1					
	5				4		6	
				8		5	3	7
		4					8	5
7	2						9	3
8	9					6		
6	3	2		7				
	8		6				4	
					1			

507

			5	3	6			1
							5	
					2	6		3
3			6			2	1	
6			9	4	3			7
	7	9			5			6
2		1	7					
	4							
7			3	2	9			

508

5	6		9		2			
		3		7	4			
		4						
4		9	2		3	8		
2								3
		7	6		8	4		2
						5		
			7	3		6		
			8		5		3	9

509

9		8						
				8			7	
		1	5	6				
1							3	9
		5	8		9	7		
4	3							2
				9	4	2		
	5			2				
						1		8

510

					6		8	1
		8	5	1		4	7	
9				2		6		
							5	
		7	6		1	8		
	4							
		3		4				8
	1	2		3	5	7		
4	8		9					

511

		1			9			8
				6			3	7
7		3	4					5
		8	6					
9	7			1			4	2
					4	8		
6					3	2		1
1	3			2				
8			1			5		

512

2				4	9	5		
						2		
			3	7			9	4
			6		7		4	9
9	5		2		4			
8	7			2	3			
		4						
		6	4	1				2

513

					7			
7	1			9		4		
9	2	8			1			
						8		1
4			3		5			7
2		9						
			4			1	5	3
		4		1			2	8
			7					

514

2								
4	5		8		7			
	3			5		9		
6				3	9	5		
3								7
		5	6	8				3
		8		9			1	
			4		1		3	9
								4

515

				8				9
		8	9			1		4
				1	4		2	
			6				7	2
8			1	9	2			5
4	2				3			
	3		4	6				
1		4			9	6		
6				7				

516

6		2		7				4
					2			
7		8	1	4				
4	8			2				
		7				4		
				1			9	6
				9	5	6		1
			2					
5				6		8		3

	3			1				
	4	5						
7		8	3		6			
	6	3	9			4		
4	9						6	2
		1			8	9	7	
			2		1	3		7
						1	5	
				4			2	

518

	8		3		4	6		1
	3	1	2			5		
	6			1		3		
1				2				
			5		3			
			7					3
		8		4			3	
		5			8	1	7	
4		7	1		5		6	

519

5								
8			6	4	2			
6	4				5			
	6		4	9		2		
4	2		5		3		9	8
		9		2	1		4	
			3				2	5
			2	8	4			9
								3

520

3				6			5	
	5		9					6
8					5	2		1
	3			7				
9		7				4		3
				3			1	
2		5	6					4
7					8		2	
	6			2				8

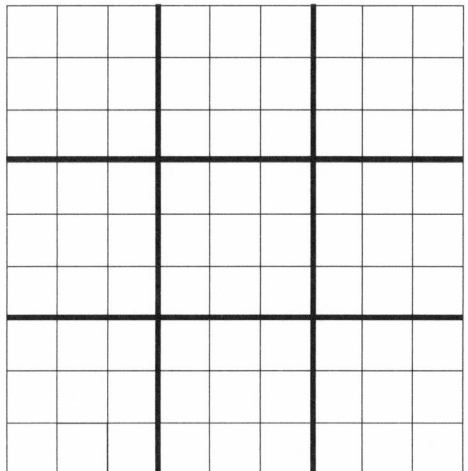

521

	1		2			4	9	
9	5	4		6				
2			9					
7		9		1			8	4
6	8			2		9		3
					2			8
				4		3	7	9
	7	1			8		5	

522

6				8				
	9	2	5				7	8
1							2	
7		3			6	1		
				1				
		6	9			8		7
	5							1
9	6				3	4	5	
				5				3

523

5				8				3
1			3				5	
8	3	6						2
		4	2	3				
			7		1			
				9	8	3		
6						7	2	1
	1				9			8
2				7				9

524

4	1		9	3	5		6	8
3	5		7					
8					1			
			5		2		4	
5								9
	9		6		3			
			1					6
					9		8	7
7	8		2	5	6		9	1

525

9	7		8			4		
		6			7		2	
5		8						9
		4		8	1			
	9			6			3	
			4	3		5		
4						9		1
	6		1			2		
		9			8		5	6

526

1					2			
	3	6	7					
		4		1		5		
	1	5				2	9	
	6		5		7		1	
	2	3				6	8	
		1		6		8		
					9	4	2	
			8					9

			4			8		
5		6		7			1	
3					2			
		5		8	9			
1								7
			3	1		2		
			6					9
	1			4		6		2
		7			3			

528

			7	8				2
	3						5	
	2	8	3					6
4					1			
	7						3	
			5					9
5					7	2	4	
	1						6	
2				4	8			

529

3				2				
		8		7				
1	7		6			4		
4		6			5	2	9	
	5	9	2			1		8
		3			9		5	4
				4		7		
				8				1

530

9		6						
5			3				1	
	3		5		6			
8					2	4	5	
1	7						6	2
	5	9	4					8
			7		5		4	
	2				4			5
						6		9

531

9		3			8		7	
4	8		5		2		1	
		1						4
	1				6	3		
		5	7				6	
3						4		
	4		2		3		5	8
	9		8			7		6

532

2		9			7	6		
3	6			2				
	5	7	4		6			
	7	5	3					
4								3
					9	7	4	
			1		5	3	8	
				9			1	5
		8	7			2		6

533

								9
1							2	
	5	7	4			8	3	
			6					5
6		3	1		5	2		8
5					7			
	9	4			3	6	7	
	6							1
2								

534

	4		6			1		
	1	6	3			8	7	
		9			7		4	
		5		2				
		3		8		7		
				6		2		
	5		9			4		
	9	4			1	5	6	
		8			6		9	

535

	2		3		5		9	
	4		9					7
		7			8			
1					4		6	
	8	2				4	3	
	6		2					1
			4			1		
4					3		5	
	5		6		2		4	

536

		4	1		8			6
		9	4			8		
	6			7				4
				3				7
	8	2				5	9	
3				9				
7				1			6	
		8			2	7		
6			3		7	4		

537

8		1	6		9			
6	7		8		5		4	
7					4		8	3
	6						2	
5	8		2					7
	2		5		7		6	4
			1		6	3		2

538

	1				7		4	3
		7			6	8		
			1	3				
		5	7			2		9
4								8
2		6			5	4		
				7	3			
		4	9			5		
9	6		4				7	

539

	8		7		4			9
	6				8			2
				9		3		8
6		7			2			
2								3
			9			7		5
5		6		2				
7			8				5	
1			6		5		9	

540

	9					8		
					9	6	7	4
		7		4				3
	4				2		5	6
		6		5		7		
1	5		6				8	
6				9		1		
9	7	3	2					
		1					3	

541

					7			4
4							3	1
5			4	3	6		8	
	9					1		2
1	4		7		8		9	6
2		6					7	
	8		2	1	5			7
9	1							3
7			3					

542

		9		2		8		
7	1		5	8				
2					6			
5					1	2		
	7						4	
		1	9					3
			8					9
				7	5		6	1
		4		1		7		

543

4	1				3	9		
		7	9				4	
		7				5		
				9	6	4		
2			8		1			3
		9	4	2				
		8			7			
	7				9	8		
		5	1				7	4

544

					6	2		8
5		2					6	
			4		3			
7	1			9				5
		5				8		
9				5			3	1
			6		8			
	9					3		4
4		1	9					

545

	3			2	8			
7		5		4				3
		8						
	7	1						4
8				3				6
9						2	5	
						9		
6				9		7		8
			1	8			4	

546

	6		4		7	5		
8	9					7		
		3		9				
4	3		2	7				
				5	4		8	9
				1		8		
		7					5	1
		8	7		6		2	

547

2								9
	1	6	5	2	9			
			3	4				
		4	2				6	5
	3						8	
5	8				6	4		
				3	2			
			8	1	4	6	7	
8								1

548

	3			7				
	7	1	8					6
5			4				3	1
			6				4	9
		3				6		
2	9				5			
1	2				7			4
3					4	9	2	
				2			8	

549

		4	2	5				
3						5	2	
	8			3	6			
1	5					8		
		2		8		9		
		3					5	7
			8	1			9	
	2	9						8
				2	3	7		

550

	6			4			5	
5		7	2					
9		4		7		1		
					3			9
			8	1	4			
1			7					
		8		3		2		1
					6	7		8
	3			8			4	

551

9							7	
		6		3		2	8	
	8				5			9
		3			9			8
4	5						3	6
6			3			7		
7			6				9	
	6	9		2		1		
	1							4

552

				6			3	
	3	6	7					
		4	1					
	9	7	2					4
2	6						8	9
5					9	7	2	
					4	2		
					2	8	6	
	7			9				

553

1		5			8		2	
7	3			6			8	
	9				7	5		
9							6	
				2				
	1							9
		1	4				9	
	6			3			5	7
	5		6			4		1

554

4			1		7			9
					3			1
	6			9		2		
	8			7		6		4
7		9		8			5	
		6		5			3	
5			6					
3			9		2			6

555

1		2		5	8	4		
8			1					2
	5						1	
	8			1	4			
6				9				1
			7	6			8	
	4						7	
3					1			5
		1	4	2		8		6

556

	9		5	2				
4	1							
5	6				1		4	7
1	5			8				
			3		6			
			5				1	4
3	4		7				2	6
							7	5
				4	2		9	

557

9					1		5	
			3			2		1
	8			4			3	
		8	1				9	4
7								2
4	9				8	7		
	5			1			4	
1		9			2			
	6		5					3

558

9			4					
	2				9			
5	4		8		3	1		
3			6		8		4	
4			5		2			8
	1		3		4			5
		9	2		6		8	4
			9				6	
					7			3

559

			4			3		5
2		5					8	
			7	1				
	5		6	7		8		
4								7
		9		8	1		3	
				6	3			
	4					1		6
5		8			7			

560

		4		7			8	
	8				2	9	1	
			1	5				4
2		8			7			
	4						5	
			2			8		9
8				6	1			
	1	6	9				2	
	9			2		6		

561

	4				3			5
			1			8	9	
			8		6	7		
8		7			4		1	
	9						4	
	1		7			2		8
		1	5		2			
	2	4			1			
6			4				5	

562

		4			3	9	5	
		6		2				3
	9			4				
		7	1					4
	4						2	
9					8	7		
				3			9	
7				1		3		
	8	1	5			4		

563

			8					6
	2	3		7				
5			2			9		
	6	5		8		7		
7	4			6			5	9
		2		4		6	1	
		8			7			5
				2		4	9	
4					1			

564

	8				1	4		3
		9	2	3			1	
				4				
7	3						4	6
1	2						3	9
			6					
	9			1	8	2		
2		5	9				7	

565

		7					4	
4								9
	5		4		1	7		
5			1	8				2
	2		3		6		1	
8				7	9			6
		2	9		8		5	
1								4
	4					6		

566

	8	1		9				
9	2	6	4					
	4		2		3			
		7	9			8		
	1						9	
		8			6	2		
			6		1		2	
					4	9	1	7
				2		6	3	

567

1	9		7	5				
	8				9		7	
5		7						
6	1			4	3			
		3	5		6	1		
			8	2			5	6
						9		7
	4		3				1	
				8	7		4	3

568

		9				5		
7				8		3		4
4			2				8	
6			5			4		2
			7		1			
9		4			2			1
	9				6			3
2		6		1				5
		5				9		

569

6	3				9		5	1
	2			7	1		6	
	7		8	2		1		
		9		5		4		
		2		4	7		8	
	4		5	9			1	
9	5		3				4	8

570

	8							5
6		7			5			
3					9		2	
		6	4	5				9
		4				8		
9				7	2	4		
	4		1					3
			9			2		1
2							9	

571

	4		1	2		3		8
1		7			8			4
	2							
	8	1					3	9
4		9				8		2
3	7					4	6	
							8	
7			3			6		5
5		8		7	9		4	

572

7	6				8	3		2
8							6	7
			6			5		
		7		5			9	
	8		9		6		7	
	5			2		6		
		4			3			
5	2							3
3		8	7				5	6

573

	6			2			3	1	
	7	3	9		8	2		
	2			5				6
	5			9			4	
1				8			2	
		2	1		3	4	8	
	1	6			4		3	

574

		3	6			5		
				9				
	7	2			3		4	
	5		3			1		
3	2						6	5
		6			5		7	
	4		7			9	2	
				6				
		5			9	6		

575

			5		9		7	
		2		7		6		
1	5				2			8
4	6					3		
		9					1	4
8			6				9	7
		3		5		8		
	2		9		4			

576

	8		3					
		3					5	
	7	1	2			8		4
	2	5	4	7				1
	1			5			2	
8				2	1	5	4	
7		4			2	3	9	
	5					4		
					8		7	

577

		4		8		6	1	
1								
	7		5					
	3				7	4		1
7			2		9			8
9		6	4				3	
					4		2	
								5
	1	5		2		3		

578

	7	9						3
			6			2		
1			3				8	
					3	1	6	2
			4		5			
9	3	7	1					
	4				8			5
		3			7			
6						7	9	

	4	1		2		9		
5					7	4		
	3		1				5	
2				3	1			
			2	6				8
	5				2		3	
		4	3					6
		9		8		2	7	

2	8	3						4
				8		9		
9					2			
	2				7	3		
5			8		1			9
		9	5				4	
			7					2
		8		6				
7						1	9	3

581

	5			2				
		7	6	8				
3					4			9
8	6	4				2		
		1	4		3	6		
		9				4	5	1
1			8					7
				4	6	1		
				7			4	

582

		9		6		4		7
		1	9					
7	8							1
8		7			4	1		
		5	2			8		6
4							9	2
					5	3		
1		3		4		7		

583

						3		6
		9		8			5	
6			4	2		9		
	4		2					
3	1						2	5
					1		8	
		1		6	9			2
	8			4		6		
9		3						

584

				6		2	8	
	5				3			4
	4	6					9	3
	8		2					
			6		1			
					9		5	
3	6					1	7	
7			8				6	
	1	2		7				

585

	7		1				5	9
	6	1						
5		2	4			1		
		6	2	5			9	
				4				
	5			8	9	2		
		7			5	9		2
						3	1	
2	3				6		4	

586

				9	6			4
		9						
8	1	2		7				
5			9			7		
6		1				4		9
		7			1			3
				3		6	9	8
						2		
9			5	1				

587

1					8			3
5	2			3		4		
3		6	1			2		
9			2			8		
		1			4			5
		9			1	5		2
		4		5			9	8
2			9					7

588

		4				9		
	2	7		9			5	
	3				5		4	
7	8	6	3	5				
				1	4	5	6	7
	6		1				7	
	7			4		3	8	
		3				4		

323

★★★★★

589

							2	5
	8		7		9			
	6	1				7		
			3	5		2		7
9		5		1	6			
		6				4	1	
			8		2		3	
2	3							

590

	2					9		
		8		9		2	6	
	3		1				5	
	9	2		4		5		
		1		8		6	4	
	7				8		9	
	8	4		2		3		
		3					7	

591

					6		9	
6			3	9		1	4	
			4			8	2	
3			5	7				2
	5						7	
8				2	3			4
	4	3			1			
	2	6		3	4			9
	9		2					

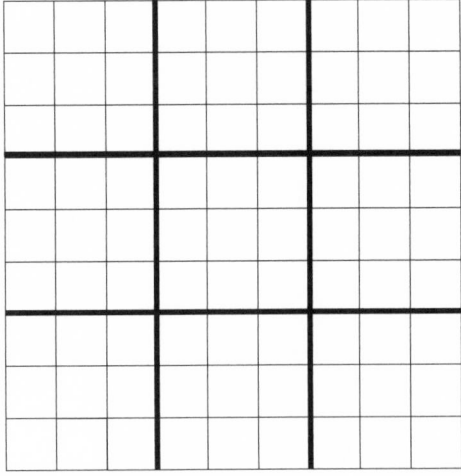

592

6	1				4			3
	4	3	9			5		8
9			7					
5		4					6	
				4				
	6					4		5
					7		3	
8		5			9		4	1
3			4			9		6

593

		7					1	
6	9				7	3		4
	2	4			6			
5						8		
				3				
		8						5
	3		6			4	2	
1			7				9	6
	4					7		

594

		2			3			
1	3		9			7		
	6	9	7				4	8
9	8					1		
		1					8	9
8	4				7	9		2
		7			9	6	3	
			3				1	

595

		7			8			
9					2	6	7	
			5			3		8
	2					4		1
1		4					2	
8		3			5			7
	7	6	2					
			8				9	

596

9					1	5		
	3				6		4	
	1		9					3
	2					6		7
7		6					2	
5					9			
	4		6			1	3	
		3	1					9

597

		2			8	9		3
			3			8		7
		5	2					1
4	1					3		
		3					1	4
9	8				2	5		
					3			
3	7	1	8			2		

598

7		3	4			6	2	5
	9		6			7	8	
					2		4	
8						4	7	
	7	4						8
	4		2					3
	8	7			6		9	
5	2	6			4			7

599

3		9			2			
		6	9			5		4
	7	2	8					
7		1					9	
	9					1		7
					8	2	6	9
4		5			9	7		
			2					3

600

	4				1		8	
	2		5			7	6	
6					2	4		5
	1					3		9
				1				
9		3					1	
	7	4	2					6
8	6				5		2	
		5	1				4	

601

	8				9		6	5
			3					1
	5	1			7		4	2
4						2	7	
				7				
	7	2						4
2	4		7			1		
1					3	5		8
5	6		9					

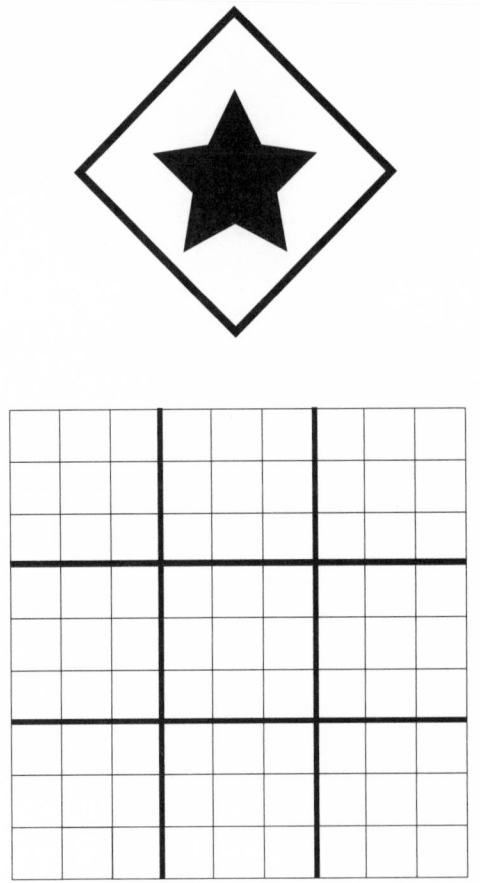

1

	0		6		2		D					8		7	B
7	9	8			B	1			D	E			2		
F	D		1		6	A		9			2	0			
	2		3	8	F		0		4		6	1	5		D
		B					3	2	8	4			F		7
					0		5	D				2			
E		2	8			F	C		0	A	9	B			
D					9		B		E	5	3			C	4
8				1	A	4			C				6		
	7				C	6	8	9	D	2	1		A		
		6	5	D		7						0	1	2	
1			D	0	5	B			A	6	4		8	E	
				5		9		7		F	A	4	C	2	0
		1	7	C	4	3		8			D	F	6		E
	A	3	F			0		4	C			9		8	
0	8		4		E		7				B	3		5	A

A	6		2				F	1			3	0		8	D
		D		1		0		F	C	4	E			3	
1	5		3	A	4	6		8	2	B			E		
	9			3		5	C				D		2		
			4		F	8			A	1					
					9			3		2	F	B	8		0
		2		D		3		7	8	C	4	5	9	A	1
	3	6	8	2		C		B	E		9				F
	A		6	B	0	1				F		E			8
			E	F			3		0	8		9		B	4
	C		D			9	5				7		0	F	
	0	3	9	6	7	D	8				2		1	C	
2	F	A	1						7		8		D	E	
6		E		8				C		5		3		0	
D							0	E			A			1	C
		0	C			4	E			D		7	A		6

	C		B	4		7	A				3	0		1	
9				0	B	D	5		E		6		2		C
E	2					1		5		7		A		F	9
6	1	F	D		3	9		C	A		8				B
	5	3	2		D		F		6					E	1
1			0	3				C	D				4		5
F		6			5	0		1		A					8
	E				A		1			F		C	6		
	9			F		0		3		4	D	6			
7	B			5		4	8	A	2			1	3	0	
	0				C			9	F	B	1			7	
2		C		7		A			8		0	E			D
B	6	8		D	5		C	1	9						
C	D		7		0	F	4			6	E	5	1		3
0							9	D		F	4	C	8		6
		E	1		B			7	0			9	F		A

A	D				B	7		1		E				4	F
0	9	2	4							8	6	B			1
	E		8				D		2	F	9		5	3	6
3			6		1		C	A				0	E	D	2
	5	B		3	0		7					E	D		
	2		7			F	8	C	1		5	A		9	
						5	B			9		6		F	8
8	A	E	D		6		4	0						1	3
4				F				9		6	1		3		
E	8			2		D	6	3	F					0	
	0		A	8	9		3	5	4		B		F		D
	F				5	B		8	0	D	A	2	4		9
D				B	C		9			0	2		1	A	5
2	6		9		D	0								8	
5	4		1				A	F			C	D		B	
	C	8	B	1		E		6		7					

2		D				6		9	A	C			7		1
			0	E		D					4	C	8	9	5
C			8	9		B	1	6		E	2			0	
	5						3			1		E			2
		8	4		6		D		0					F	
	C				0	1		8		B	E		6	A	
7		E	D	2		C	A		6		5	4			
	9			3			E				A		B		D
	D		5	A	3				B		8	9			7
			2	5					C	6	1				
F				1		9	0	3					A	B	4
3			B	8		F	C	7		2		5	0		
D	A	F	C			0		4					9	3	
	2		6		8			1	7			F			E
				6			F				B				A
0	7	5				2	B		F	A		6		C	8

		4	8	C	9	B	0			D					5
	E							9		3		A	0		
		5				A	3	4	C	E	6	7	1	F	
6			A			5				8			4	C	2
C	8						1	6	B			2			9
B	9	A	E	8	D	6	2		1	C					0
			6	7		E	9		5	0			B		
5	0	1	4	3				E						6	A
	7		F		0	3					A		C	9	
	D	B						8		4	9	3	5		E
	6				A				E		C	B	F	2	
2	C	0	9	E	7	1	5		D	B				A	
		F	C	1	2		6		8	A	0			E	
0		9		5		8	E					4	D	1	
E	5							F	6	9	1				B
	2		3		B			D			E	0	A		F

D		A	0	B	5	E			4						
B	8	C			D		F	9		E	6	3	1		
3	E				8	2		0		5		D		B	
6			F		C	4	9			8	1	A			
4	6		9				7				A			3	E
C	B	D		4						0	F	8	5		6
	A		E		6	B		7	5	1				C	
7	1	8	5		E	3	D	2		6	B		0	A	
1	3	5	D	6	9	C					7	E			0
		9		D	A	F				3		7			B
A			B	E	7	8	3		6	F		9	C	4	
		7		1				4				6		5	3
5		4			3	6		F	0	A			8		
2	D	E		8				C	B		9	5			1
9		6					C	5				F	4		A
F			A	5	4	1			7			0	3		2

	8			A	9	F		7		D			1	6	
		9			0	5	1		A	2		4	8		
3	5	C				B			8		E	0	7	9	
4			7				8	6	9	5			C		
7			2		C	E		0	B				F	A	
F	D	A	E		8	4		3					0		
			5		B	A	3		E				2	C	1
	B	8		6	5	D		F	2	A					
5		F			D		4		0		A				C
	E	7				1	2	9	D			A			
			8			C	E	2	5	1		6			9
		0	6		7	9	5	B		C	8				4
0			B		6			5	4	E				7	
E	A	3			2		F	8	1	0				5	D
D	6	5			E									8	0
	7											C	9		F

			3	F	0	D	A		8	5			E	6	
B	8	9		4			7				2		F		
2		E			3	9	6	0		A				4	
			4				B	6	E	C			1	D	7
7		D	F		A	8	4		9	0		6		1	C
1	6		E		9	B							0		
	3	C	5	0			2		7			E	9		D
9			0		D				1		E	4	7	8	
			C	2		1	8	F		3				0	4
				C			9			6		D	B	2	
6	D				E	5		7	0		9	F			
F	2	0	8		4	6		5	E		1	A	3		9
	E	1			7	F		A	5	4			2	B	
		2		3	5				C	7			D		6
8	C		7			4	E	D	3						5
D		5	A		B			1		9	6	7		E	3

D	1	F	A				C	4	7	9	6	E			B
	8	6								C	B		F	7	
				E	9	5							D	A	
		7	9	B	6		1	E						C	2
	2	4	D	F			9	B				0		3	
	3	B	5	A	4		D	9							
F	C				3			1	4	D			B	A	
			6			7	0	F	2	5			C	1	
						4	F	D	6		C		7	E	8
C					1			0			5		2	6	9
6	E	8						A	F	2	7				0
4	0	5	7	2			8		1						D
	3	1		9		A	E								6
5		C	B	1	8		4					F	3		7
9				5	C							1	0		
			0	D				5	9	F		B		4	

9				7	6	D	C	2	B			5		4	
	3		C			4					6		1		
	5			9		E		7	3				0		F
2	1	7	A	F	3			9					8		
1		4		3	D		8	A			0		E	F	
0	7		F						5	C	8			2	
	E	B			4					3			8	6	0
A	2				1		B	4	F						9
	A	9		8									6	C	5
5		C			F		A	8	1	9				3	
		E	1			3			A	7			2		
		F		D			0	5		4		9			
	6		4						C	B				0	
D		2			E	F						7	4		
	8	5			A	C				E	F	6	9	D	2
				0	7	9		6			1	B			

C			E	2		8	A	3	1	D					
3	D				B			E		6	0	8		7	
8	A	0	2		9	E		B				D			6
		6		0	D			A		2		E	1	9	
	4		8		9	A		2	5	7	6				C
	B				C				0		E			6	9
F		C		6								1		E	B
		6			2		4				3		8	F	
6	E	7		1			B				2		F	D	
9		D	0		E			6	1		B				3
2	F	B		8					E	3		7			
					7		0	D	9	A	8		B		E
	6			7	A		3	0			F	2			
		A	F		E	5		4	2			3		0	7
		5	1		F			9	3	E	A	B			4
	2			C				1	7		B	F			

D		2				8	0	C				4	B		
		C						1	3			7		9	8
		A	6		C			9							
8	3			1	6		4	A		2	E	F	D		
A		B		7	9		D			1	4		2	5	
6		E		5		2		B	7	D				0	F
		D	8	C		E					5		1	B	9
		5	3	0		F								D	C
	6			4			2		F	9		5			A
7	2		0			9	B		8			1	F		D
F		3			1	0			B				2		
			9	A		D	C	2	6		7	B			4
	5		1			3	A	7			F		E		
3			E		0	1	F		4		C			7	B
9	C		D	E							0	2		F	1
		F		6	7	C						3		4	0

1	A			3		9	0	5		7				F	
E				F	7		3	8			2	D			
2	7	4		A		C	0				D	8		3	
	B	F	0	5	8				E	2	C			7	
			E	B	F	D			0	4				5	8
															C
5		8			0				2		1	B	4	0	
6		7	B		0			8	C				2	F	1
4						2	D								A
A		C	D			2	4			8	F		E	7	
			9	A	7		6		E	0	5				
0					5	6	C	1		3	9		B	D	
D	E	A		0	3			4			7		C		
8	4	B								9	0		A		
		3	1	2	5				C	E			6		
F	5		2	C	7	A		0	3		D	B			

6		7	B		9	1	4		8	3	E		C	2	
C		1		6	E			D	4		B				F
	F	9		2		5	3	C		1	0				
					D				2	7		9	1	8	0
E		5		A	4		0			8	D		6		1
	7	4		1		8		0	F	E			9	D	
9			1					7		A	2	B	4		C
				3		9	D	4	C					E	
	E		3		D	6				4			2	A	9
			7		A	F	9		0		C				D
F	D	2		7			5	E		6				4	
1	0	A		4						D	9	6			7
			E			0	C	A	D			7	8	3	
A	9		6		2			1	E	0	3			B	
7	C					3		2				E	A		4
	4	3	5	E	8		A		6			F			

5	3	4	7	2	6										A
C		E						4	5			8	F	D	B
B						9	E	6	0					7	1
0				4	3	B	D	7	E						6
E				F	0			B	A						
				7	B	D			2	E		C			
A	6		5	1	2					4	F				
	2		D		A				1	C	5	B		4	3
			9	0	F				5	3	2	7			8
	7	D	3		9	8	B						4	1	
	8		0	D		3	4		B					C	5
		5		6	C						E			A	9
	F	3					0				4		6		C
	4			E				F	C	7	B	5	1		D
		7	C		4	F		8	0	1		9	B		2
	B	6	E		D	1	9				A	0			

7	A	E	6				9	2							
				0	3	D	7	6			E			1	
3	5		B	6	F			C	7	8	4			0	E
			F	2				B			D	6	7		4
			0					1	8		3	2		A	
9	3		7	8	C	5	6	D			2		F		
	2		E	3			D		A				9	8	7
8			1	7	2	4		9	B		0	3	D		
4		1			0	3		A	6		7			2	8
	5				8	7	4		F			D	6		
	7	A		D		F						0			C
	C		3	A	2					5			1	7	F
	9				7	E		C	2	6		B			1
	7		5				8		9	F	A			4	2
			2	D			3	7	4	0		A	C		
	0	6		4	B		2	E				7	5	F	

18

		F		7	0	8							1	6	
				A								4	7		2
A	7	2		B	D				0		6		3	5	E
	4	9			F	E	3	2			5	D	0		
E	C	1		D		A		5				2			
	F		7			0	C	D				1			
3	8	D			6			1			2	E	4	0	7
5		B		3	8		9	4	E		F				
	A	3				F		C	8	6	4	9	2	E	
					7		A						B		
	2		D		9			0		5	B	F			C
	8							E		D		0	5		3
0	3		9		2		1		B		D	5	6	A	
1			F	C			0			3					
	B	C	4						9		0			D	
	5	E						A	F					B	

7		9	3		5	A			4	C				D	
1		B	A	4			E	9	8		6				0
0				D	1				B				2	7	8
			E	F			3	D	7			6			B
		2	F			5	1	6			3	C			9
		3							E	2			D	0	
D				8	C			F	4	A		B		1	5
9		0						C				A	6	F	2
	7	A												2	F
B	4	8	2								D		0	6	1
C				1	E			8	B				7	3	A
F		5	6	A	B	3	2	7					4	C	
2				C	8			5	E						
					A	0						2	8		3
5			8		9	6		3		D	1	0	A		7
6						F	B	4		9		1			

2			B		1	4	A		7	8	6		9	C	
D					7	9	B		1	E		8	A	5	
		0					8	B	C					D	2
1	8		9	2			5		D		F		B	7	
	0			4	E			A	B	9	7	3			1
		B	D	9					0			2			
3	1	7	4	B		5		6					0		
	C			A		3		F			2	D		B	E
9	2				5			E			B		4		D
8		3		0		6	E		A		C			9	7
			F		9	D								E	8
0			E		A			8	9	F	4		1		B
A		4	1	E	F	2		9	3					8	
		D							F			B			
	5	8	C				6	0	E		A		3		
B	E					C		5		6	1	0		A	F

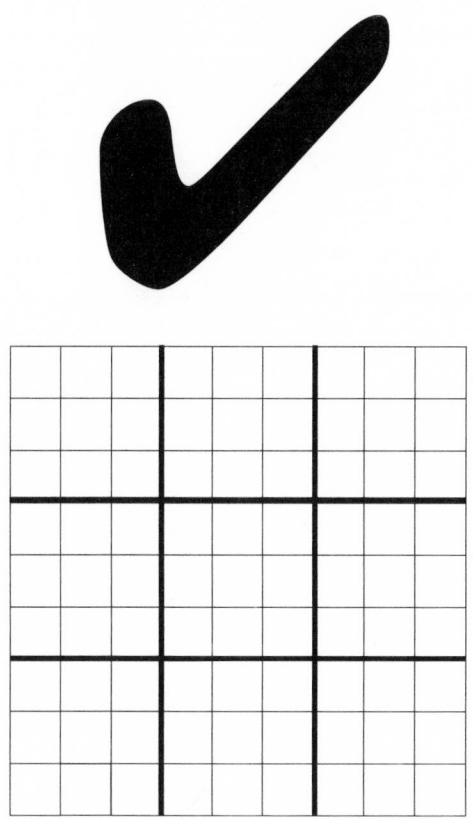

1

6	7	4	9	2	1	5	8	3
3	1	9	8	6	5	7	2	4
8	5	2	4	7	3	9	6	1
7	2	8	5	9	4	3	1	6
1	9	6	2	3	7	8	4	5
4	3	5	6	1	8	2	9	7
9	8	3	7	4	6	1	5	2
2	4	7	1	5	9	6	3	8
5	6	1	3	8	2	4	7	9

2

6	9	3	1	4	2	8	5	7
5	1	4	3	7	8	9	2	6
2	8	7	9	5	6	4	3	1
9	6	5	2	8	3	1	7	4
4	3	2	6	1	7	5	8	9
1	7	8	5	9	4	3	6	2
7	4	6	8	3	1	2	9	5
3	2	9	4	6	5	7	1	8
8	5	1	7	2	9	6	4	3

3

9	2	5	4	3	1	8	6	7
8	1	7	6	2	9	5	3	4
6	4	3	7	5	8	2	9	1
1	7	2	8	9	4	6	5	3
4	5	6	3	7	2	1	8	9
3	9	8	1	6	5	7	4	2
2	3	1	9	8	6	4	7	5
5	6	9	2	4	7	3	1	8
7	8	4	5	1	3	9	2	6

4

6	3	5	7	2	4	9	8	1
7	8	4	5	9	1	2	6	3
2	9	1	6	8	3	5	4	7
9	1	8	3	5	2	4	7	6
5	7	3	1	4	6	8	2	9
4	6	2	9	7	8	1	3	5
8	5	6	4	1	7	3	9	2
1	2	7	8	3	9	6	5	4
3	4	9	2	6	5	7	1	8

5

7	9	8	5	3	6	4	1	2
1	6	3	4	8	2	5	7	9
2	4	5	9	7	1	8	3	6
8	3	7	6	1	4	2	9	5
4	1	9	7	2	5	6	8	3
6	5	2	3	9	8	7	4	1
3	7	6	8	5	9	1	2	4
5	8	1	2	4	3	9	6	7
9	2	4	1	6	7	3	5	8

6

4	1	9	3	5	7	2	8	6
5	7	6	4	8	2	3	9	1
2	3	8	1	9	6	5	7	4
1	9	4	8	2	3	7	6	5
7	8	3	5	6	1	4	2	9
6	2	5	7	4	9	1	3	8
8	5	2	9	7	4	6	1	3
9	6	1	2	3	5	8	4	7
3	4	7	6	1	8	9	5	2

7

4	9	6	8	3	1	5	7	2
2	7	1	9	6	5	8	4	3
5	8	3	7	4	2	1	6	9
1	6	4	5	9	3	2	8	7
8	3	9	2	1	7	6	5	4
7	5	2	4	8	6	3	9	1
9	1	5	3	7	8	4	2	6
6	4	8	1	2	9	7	3	5
3	2	7	6	5	4	9	1	8

8

6	2	8	1	4	7	5	3	9
9	4	7	5	3	6	8	1	2
5	1	3	8	9	2	4	6	7
7	6	2	3	8	4	1	9	5
4	3	1	7	5	9	2	8	6
8	5	9	2	6	1	3	7	4
1	7	5	9	2	3	6	4	8
3	8	4	6	7	5	9	2	1
2	9	6	4	1	8	7	5	3

9

7	2	8	4	9	1	6	3	5
3	9	1	6	5	7	4	2	8
5	4	6	8	3	2	7	9	1
9	7	2	1	8	3	5	6	4
8	6	3	2	4	5	9	1	7
1	5	4	7	6	9	2	8	3
6	3	5	9	7	8	1	4	2
2	8	9	5	1	4	3	7	6
4	1	7	3	2	6	8	5	9

10

8	1	3	7	2	9	5	4	6
7	5	4	8	6	1	9	2	3
6	9	2	4	3	5	7	8	1
9	4	1	5	7	2	6	3	8
5	6	8	9	1	3	4	7	2
3	2	7	6	4	8	1	9	5
4	7	5	3	8	6	2	1	9
1	8	6	2	9	4	3	5	7
2	3	9	1	5	7	8	6	4

11

7	4	8	3	6	2	1	5	9
5	9	2	4	1	7	6	8	3
1	3	6	5	8	9	7	4	2
9	2	3	6	5	8	4	7	1
4	6	5	2	7	1	3	9	8
8	7	1	9	3	4	2	6	5
3	8	9	7	2	6	5	1	4
2	1	7	8	4	5	9	3	6
6	5	4	1	9	3	8	2	7

12

6	8	7	2	3	9	1	5	4
4	5	2	8	1	6	7	9	3
3	9	1	7	5	4	2	6	8
7	1	5	6	8	2	4	3	9
2	4	3	5	9	1	6	8	7
8	6	9	4	7	3	5	2	1
9	7	6	3	4	5	8	1	2
1	2	4	9	6	8	3	7	5
5	3	8	1	2	7	9	4	6

13

2	3	6	1	9	8	5	4	7
7	9	1	4	6	5	3	2	8
8	5	4	7	3	2	1	6	9
1	2	3	8	4	9	7	5	6
4	7	5	2	1	6	8	9	3
6	8	9	5	7	3	4	1	2
9	4	8	6	5	7	2	3	1
5	6	7	3	2	1	9	8	4
3	1	2	9	8	4	6	7	5

14

6	5	8	2	4	1	3	7	9
2	9	1	3	7	5	4	8	6
3	4	7	9	6	8	1	2	5
8	7	9	1	2	3	6	5	4
5	3	6	7	8	4	9	1	2
4	1	2	5	9	6	8	3	7
1	2	5	4	3	9	7	6	8
7	6	4	8	1	2	5	9	3
9	8	3	6	5	7	2	4	1

15

7	9	4	2	1	6	5	3	8
2	5	1	8	3	4	6	7	9
3	8	6	9	5	7	4	1	2
8	6	3	1	9	5	7	2	4
1	4	7	6	2	8	9	5	3
9	2	5	7	4	3	8	6	1
5	1	8	4	7	2	3	9	6
4	7	2	3	6	9	1	8	5
6	3	9	5	8	1	2	4	7

16

3	1	5	8	9	6	2	7	4
7	4	2	3	5	1	8	6	9
8	6	9	4	7	2	3	1	5
6	9	4	1	3	5	7	2	8
2	3	8	6	4	7	5	9	1
5	7	1	2	8	9	6	4	3
4	2	6	5	1	3	9	8	7
9	8	3	7	6	4	1	5	2
1	5	7	9	2	8	4	3	6

17

7	5	9	1	8	6	2	4	3
2	1	3	7	5	4	9	8	6
4	6	8	9	3	2	5	7	1
3	8	6	2	9	7	1	5	4
5	7	1	6	4	8	3	2	9
9	4	2	3	1	5	7	6	8
1	2	5	8	6	9	4	3	7
6	9	7	4	2	3	8	1	5
8	3	4	5	7	1	6	9	2

18

5	7	2	8	1	9	4	3	6
3	1	6	7	4	5	9	8	2
9	8	4	2	6	3	5	7	1
6	4	5	3	8	1	7	2	9
2	9	8	6	5	7	1	4	3
7	3	1	4	9	2	8	6	5
4	2	9	5	3	8	6	1	7
8	5	3	1	7	6	2	9	4
1	6	7	9	2	4	3	5	8

19

9	2	1	6	7	3	5	4	8
8	6	3	5	2	4	9	7	1
4	7	5	9	8	1	6	2	3
5	3	6	1	9	2	4	8	7
1	4	9	7	5	8	2	3	6
7	8	2	3	4	6	1	5	9
3	1	7	2	6	5	8	9	4
2	9	4	8	1	7	3	6	5
6	5	8	4	3	9	7	1	2

20

6	5	4	7	9	8	2	3	1
7	3	8	5	2	1	6	4	9
1	2	9	4	6	3	5	7	8
9	7	5	3	1	4	8	2	6
4	1	2	8	7	6	9	5	3
3	8	6	9	5	2	4	1	7
5	4	7	1	8	9	3	6	2
2	9	3	6	4	7	1	8	5
8	6	1	2	3	5	7	9	4

21

3	4	8	9	7	2	6	5	1
5	2	1	8	4	6	3	7	9
9	7	6	1	5	3	2	4	8
4	1	2	5	6	9	7	8	3
7	6	9	3	1	8	5	2	4
8	3	5	7	2	4	9	1	6
6	9	4	2	8	5	1	3	7
1	5	3	4	9	7	8	6	2
2	8	7	6	3	1	4	9	5

22

8	4	3	9	5	1	6	7	2
1	6	5	2	4	7	3	9	8
2	7	9	6	3	8	5	4	1
6	5	7	3	1	2	4	8	9
9	2	1	4	8	6	7	5	3
3	8	4	7	9	5	1	2	6
7	3	8	5	6	9	2	1	4
4	1	2	8	7	3	9	6	5
5	9	6	1	2	4	8	3	7

23

6	4	9	2	5	3	7	8	1
1	2	3	8	9	7	4	6	5
8	7	5	6	1	4	9	3	2
2	5	7	3	4	8	1	9	6
3	9	6	1	2	5	8	7	4
4	1	8	7	6	9	5	2	3
7	3	1	4	8	6	2	5	9
5	6	4	9	7	2	3	1	8
9	8	2	5	3	1	6	4	7

24

4	7	5	8	3	6	2	9	1
3	6	2	9	1	7	4	5	8
1	8	9	4	5	2	3	6	7
5	3	7	1	2	8	6	4	9
2	4	8	5	6	9	7	1	3
9	1	6	7	4	3	5	8	2
7	5	3	6	9	1	8	2	4
6	2	1	3	8	4	9	7	5
8	9	4	2	7	5	1	3	6

25

9	6	1	8	2	7	3	5	4
4	3	8	1	5	6	7	9	2
7	5	2	9	4	3	1	8	6
1	7	4	2	6	5	8	3	9
2	9	3	4	7	8	5	6	1
5	8	6	3	9	1	2	4	7
8	4	5	7	1	9	6	2	3
3	1	9	6	8	2	4	7	5
6	2	7	5	3	4	9	1	8

26

8	3	2	6	4	9	7	5	1
9	4	5	7	1	3	8	6	2
1	7	6	8	2	5	4	9	3
7	1	8	9	6	4	2	3	5
5	9	4	2	3	7	6	1	8
2	6	3	1	5	8	9	4	7
3	8	1	4	7	6	5	2	9
4	2	9	5	8	1	3	7	6
6	5	7	3	9	2	1	8	4

27

9	4	2	1	6	7	8	5	3
3	5	7	8	4	9	6	2	1
8	1	6	3	2	5	7	4	9
2	7	9	6	8	1	4	3	5
4	3	5	9	7	2	1	8	6
6	8	1	4	5	3	9	7	2
1	2	4	7	3	6	5	9	8
5	9	8	2	1	4	3	6	7
7	6	3	5	9	8	2	1	4

28

3	7	4	5	2	1	9	6	8
2	8	1	9	6	7	5	3	4
9	6	5	4	8	3	1	2	7
6	1	7	2	3	4	8	9	5
8	4	2	6	9	5	7	1	3
5	9	3	7	1	8	6	4	2
1	5	9	3	7	2	4	8	6
4	2	6	8	5	9	3	7	1
7	3	8	1	4	6	2	5	9

29

9	4	7	2	3	8	1	5	6
1	5	8	6	4	9	3	2	7
3	2	6	1	5	7	8	9	4
2	6	9	4	8	3	5	7	1
5	8	1	7	9	6	4	3	2
4	7	3	5	2	1	9	6	8
7	9	4	3	1	2	6	8	5
6	3	5	8	7	4	2	1	9
8	1	2	9	6	5	7	4	3

30

2	9	6	3	1	8	5	4	7
3	5	4	7	2	9	1	8	6
8	1	7	6	5	4	2	9	3
6	7	2	5	4	3	9	1	8
9	4	5	1	8	7	6	3	2
1	8	3	9	6	2	4	7	5
5	6	8	4	3	1	7	2	9
4	2	9	8	7	6	3	5	1
7	3	1	2	9	5	8	6	4

31

7	6	1	2	9	4	5	3	8
2	5	4	1	8	3	9	6	7
8	3	9	7	6	5	1	2	4
5	1	7	6	2	8	4	9	3
4	9	2	3	1	7	8	5	6
6	8	3	5	4	9	7	1	2
3	4	8	9	5	2	6	7	1
9	2	6	4	7	1	3	8	5
1	7	5	8	3	6	2	4	9

32

4	7	3	1	5	6	8	9	2
8	6	1	2	9	3	4	7	5
9	5	2	4	7	8	1	3	6
7	2	9	6	4	1	3	5	8
6	4	8	9	3	5	7	2	1
3	1	5	7	8	2	6	4	9
1	9	6	3	2	4	5	8	7
5	3	7	8	6	9	2	1	4
2	8	4	5	1	7	9	6	3

33

2	3	1	6	5	4	8	7	9
5	7	8	9	3	1	6	2	4
9	4	6	8	2	7	1	3	5
4	8	2	1	9	3	5	6	7
3	6	9	5	7	8	4	1	2
1	5	7	4	6	2	3	9	8
8	1	3	2	4	9	7	5	6
7	2	5	3	8	6	9	4	1
6	9	4	7	1	5	2	8	3

34

2	4	3	8	1	7	5	9	6
1	6	7	5	4	9	2	3	8
9	5	8	2	3	6	1	7	4
5	2	4	3	6	1	9	8	7
8	1	6	7	9	5	3	4	2
7	3	9	4	8	2	6	5	1
3	7	2	1	5	8	4	6	9
4	9	1	6	7	3	8	2	5
6	8	5	9	2	4	7	1	3

35

6	5	1	2	8	7	4	9	3
3	8	7	4	1	9	6	2	5
4	2	9	6	5	3	7	1	8
2	6	5	9	7	4	8	3	1
1	4	3	8	6	5	9	7	2
7	9	8	1	3	2	5	4	6
8	7	4	3	2	6	1	5	9
5	3	6	7	9	1	2	8	4
9	1	2	5	4	8	3	6	7

36

5	3	2	7	4	8	1	9	6
8	9	4	5	6	1	3	7	2
6	1	7	9	2	3	4	8	5
4	8	1	6	3	9	2	5	7
2	5	6	8	7	4	9	1	3
3	7	9	1	5	2	8	6	4
1	4	5	2	9	7	6	3	8
9	6	3	4	8	5	7	2	1
7	2	8	3	1	6	5	4	9

37

5	1	2	7	6	3	8	4	9
3	9	4	8	2	1	5	6	7
6	7	8	4	9	5	3	2	1
8	3	5	6	1	2	9	7	4
7	4	6	9	5	8	2	1	3
1	2	9	3	7	4	6	8	5
2	5	7	1	3	6	4	9	8
4	6	1	5	8	9	7	3	2
9	8	3	2	4	7	1	5	6

38

9	3	4	1	7	6	8	5	2
1	8	2	5	3	4	9	7	6
6	5	7	2	8	9	3	1	4
5	4	3	7	6	1	2	9	8
2	9	8	4	5	3	1	6	7
7	1	6	8	9	2	4	3	5
8	2	9	6	1	7	5	4	3
4	7	1	3	2	5	6	8	9
3	6	5	9	4	8	7	2	1

39

3	1	5	4	7	6	8	2	9
2	7	9	1	8	5	4	6	3
6	4	8	3	9	2	7	1	5
4	8	7	6	1	9	5	3	2
1	3	2	5	4	8	9	7	6
9	5	6	2	3	7	1	8	4
8	2	1	9	6	4	3	5	7
7	6	4	8	5	3	2	9	1
5	9	3	7	2	1	6	4	8

40

3	9	2	7	8	5	6	4	1
8	1	5	6	4	2	9	7	3
4	6	7	1	9	3	8	2	5
2	5	1	8	7	9	3	6	4
6	8	4	3	2	1	5	9	7
7	3	9	5	6	4	2	1	8
1	7	8	9	5	6	4	3	2
5	2	6	4	3	7	1	8	9
9	4	3	2	1	8	7	5	6

41

4	6	7	5	1	3	8	2	9
8	3	1	2	6	9	7	4	5
9	5	2	8	4	7	1	6	3
6	8	5	1	2	4	9	3	7
1	7	4	3	9	8	6	5	2
2	9	3	7	5	6	4	8	1
7	1	6	4	3	2	5	9	8
3	4	8	9	7	5	2	1	6
5	2	9	6	8	1	3	7	4

42

5	1	3	7	4	8	6	9	2
8	2	9	1	5	6	7	4	3
6	7	4	2	3	9	1	8	5
3	5	2	8	7	4	9	6	1
7	4	6	5	9	1	3	2	8
1	9	8	6	2	3	4	5	7
2	3	1	9	6	5	8	7	4
9	8	5	4	1	7	2	3	6
4	6	7	3	8	2	5	1	9

43

2	3	4	6	7	1	8	9	5
5	6	7	4	8	9	2	3	1
9	8	1	3	5	2	6	7	4
8	1	9	2	3	4	7	5	6
4	2	6	7	1	5	3	8	9
3	7	5	8	9	6	4	1	2
1	4	3	5	2	7	9	6	8
7	5	2	9	6	8	1	4	3
6	9	8	1	4	3	5	2	7

44

4	1	7	3	6	8	5	2	9
5	2	3	9	1	4	7	8	6
6	9	8	7	2	5	1	4	3
3	5	2	4	8	9	6	7	1
8	7	6	2	5	1	3	9	4
9	4	1	6	7	3	2	5	8
1	6	4	5	9	7	8	3	2
2	3	5	8	4	6	9	1	7
7	8	9	1	3	2	4	6	5

45

7	6	1	3	4	5	2	8	9
3	8	4	2	9	1	6	7	5
2	9	5	8	7	6	4	3	1
6	1	3	9	8	7	5	2	4
8	5	7	1	2	4	9	6	3
4	2	9	5	6	3	8	1	7
5	7	6	4	3	2	1	9	8
9	4	2	7	1	8	3	5	6
1	3	8	6	5	9	7	4	2

46

8	1	6	3	7	9	2	4	5
7	9	4	1	2	5	6	3	8
5	2	3	4	8	6	7	9	1
4	5	7	8	3	2	1	6	9
3	8	9	5	6	1	4	7	2
1	6	2	7	9	4	8	5	3
9	3	8	2	4	7	5	1	6
6	7	1	9	5	8	3	2	4
2	4	5	6	1	3	9	8	7

47

9	3	2	7	5	1	8	4	6
7	6	1	8	3	4	5	9	2
5	8	4	2	6	9	1	7	3
2	9	6	4	7	5	3	1	8
1	7	8	6	2	3	9	5	4
4	5	3	9	1	8	2	6	7
6	1	9	3	8	7	4	2	5
8	4	7	5	9	2	6	3	1
3	2	5	1	4	6	7	8	9

48

9	6	1	4	7	8	2	3	5
3	7	2	5	1	9	6	8	4
8	5	4	6	2	3	9	7	1
1	9	6	3	8	7	4	5	2
4	8	7	1	5	2	3	6	9
5	2	3	9	6	4	7	1	8
2	1	5	7	4	6	8	9	3
7	4	9	8	3	1	5	2	6
6	3	8	2	9	5	1	4	7

49

4	7	3	9	2	1	6	5	8
6	5	1	8	4	3	9	7	2
2	9	8	5	6	7	4	3	1
9	1	6	4	8	5	7	2	3
7	3	5	6	1	2	8	4	9
8	2	4	3	7	9	5	1	6
1	6	2	7	9	4	3	8	5
5	8	7	1	3	6	2	9	4
3	4	9	2	5	8	1	6	7

50

8	6	3	4	1	9	7	2	5
5	9	7	2	3	6	1	8	4
1	4	2	8	5	7	9	3	6
6	7	8	9	4	5	2	1	3
3	2	4	6	8	1	5	7	9
9	5	1	3	7	2	4	6	8
2	8	5	7	6	4	3	9	1
4	3	9	1	2	8	6	5	7
7	1	6	5	9	3	8	4	2

51

6	2	1	9	4	7	3	8	5
7	5	4	8	6	3	9	2	1
8	9	3	5	1	2	6	4	7
5	1	6	2	3	8	7	9	4
9	7	8	6	5	4	2	1	3
3	4	2	1	7	9	8	5	6
4	6	9	3	2	5	1	7	8
1	8	7	4	9	6	5	3	2
2	3	5	7	8	1	4	6	9

52

1	8	9	3	4	6	5	2	7
6	2	5	9	7	8	3	4	1
4	7	3	1	5	2	9	6	8
8	1	6	7	3	9	4	5	2
5	3	4	2	6	1	8	7	9
7	9	2	5	8	4	1	3	6
9	4	8	6	2	3	7	1	5
3	6	7	8	1	5	2	9	4
2	5	1	4	9	7	6	8	3

53

5	9	1	7	8	3	4	6	2
4	2	3	6	1	5	7	8	9
7	8	6	2	9	4	3	5	1
1	6	5	4	7	2	8	9	3
9	3	7	8	5	6	2	1	4
8	4	2	1	3	9	5	7	6
6	1	8	3	2	7	9	4	5
2	5	4	9	6	8	1	3	7
3	7	9	5	4	1	6	2	8

54

3	8	2	7	9	5	6	1	4
5	1	6	2	8	4	3	9	7
7	9	4	6	1	3	5	2	8
4	3	1	9	5	6	8	7	2
9	2	7	4	3	8	1	5	6
6	5	8	1	2	7	4	3	9
1	4	3	8	7	2	9	6	5
8	7	9	5	6	1	2	4	3
2	6	5	3	4	9	7	8	1

55

4	8	5	7	6	1	9	3	2
1	2	6	9	8	3	4	5	7
3	7	9	5	2	4	6	8	1
7	6	8	3	1	2	5	9	4
9	4	1	8	5	7	2	6	3
5	3	2	6	4	9	1	7	8
8	1	3	2	9	5	7	4	6
6	9	4	1	7	8	3	2	5
2	5	7	4	3	6	8	1	9

56

6	9	8	1	7	4	2	5	3
5	2	7	6	3	8	1	4	9
3	4	1	2	9	5	7	8	6
4	1	2	7	8	9	3	6	5
8	7	3	5	6	2	9	1	4
9	5	6	3	4	1	8	2	7
1	3	4	8	5	7	6	9	2
2	6	5	9	1	3	4	7	8
7	8	9	4	2	6	5	3	1

57

6	2	1	3	5	4	8	9	7
8	9	5	7	1	6	3	2	4
4	7	3	8	2	9	5	6	1
5	1	9	6	7	3	2	4	8
2	8	7	1	4	5	6	3	9
3	4	6	2	9	8	7	1	5
7	6	8	4	3	1	9	5	2
9	3	4	5	8	2	1	7	6
1	5	2	9	6	7	4	8	3

58

2	4	9	7	1	6	3	5	8
5	3	7	8	2	4	1	9	6
6	1	8	5	9	3	4	7	2
8	2	3	1	4	9	5	6	7
7	5	6	2	3	8	9	1	4
1	9	4	6	7	5	2	8	3
9	8	2	4	6	1	7	3	5
3	7	5	9	8	2	6	4	1
4	6	1	3	5	7	8	2	9

59

1	9	7	8	5	6	3	4	2
5	2	8	1	3	4	6	7	9
6	4	3	9	2	7	1	5	8
9	1	5	4	8	2	7	3	6
7	8	4	6	1	3	9	2	5
2	3	6	5	7	9	4	8	1
4	7	1	2	9	5	8	6	3
8	6	2	3	4	1	5	9	7
3	5	9	7	6	8	2	1	4

60

2	3	8	5	1	9	7	6	4
5	7	1	6	4	3	2	8	9
6	4	9	8	2	7	5	1	3
7	1	5	3	9	2	8	4	6
8	9	2	4	7	6	1	3	5
3	6	4	1	8	5	9	7	2
1	2	6	7	5	4	3	9	8
9	8	3	2	6	1	4	5	7
4	5	7	9	3	8	6	2	1

61

8	6	5	3	4	7	9	2	1
4	1	3	9	2	6	8	5	7
7	2	9	8	5	1	6	3	4
3	8	2	1	7	5	4	9	6
6	4	7	2	8	9	3	1	5
5	9	1	4	6	3	7	8	2
2	5	6	7	9	8	1	4	3
1	7	8	5	3	4	2	6	9
9	3	4	6	1	2	5	7	8

62

3	4	8	6	1	9	5	2	7
6	5	9	7	4	2	1	3	8
1	7	2	5	8	3	4	6	9
9	3	7	8	5	1	6	4	2
4	6	1	2	3	7	9	8	5
8	2	5	9	6	4	3	7	1
2	9	3	4	7	5	8	1	6
5	8	4	1	2	6	7	9	3
7	1	6	3	9	8	2	5	4

63

7	4	9	2	5	3	8	1	6
8	1	2	6	7	4	5	3	9
6	5	3	8	9	1	4	2	7
3	7	1	5	4	8	9	6	2
5	9	4	3	2	6	7	8	1
2	8	6	7	1	9	3	4	5
4	2	8	9	6	7	1	5	3
1	6	7	4	3	5	2	9	8
9	3	5	1	8	2	6	7	4

64

4	9	7	8	5	1	2	3	6
3	8	1	7	6	2	9	5	4
6	2	5	3	9	4	8	1	7
5	1	3	9	4	6	7	2	8
8	6	2	1	7	5	4	9	3
7	4	9	2	8	3	1	6	5
9	7	6	5	1	8	3	4	2
1	3	4	6	2	7	5	8	9
2	5	8	4	3	9	6	7	1

65

3	1	2	8	4	5	6	9	7
8	7	5	6	2	9	1	3	4
6	4	9	7	3	1	5	8	2
4	5	6	2	8	3	7	1	9
2	9	8	1	5	7	4	6	3
7	3	1	9	6	4	8	2	5
9	8	4	3	7	6	2	5	1
1	2	7	5	9	8	3	4	6
5	6	3	4	1	2	9	7	8

66

7	3	2	5	8	9	1	6	4
1	9	6	4	3	7	5	2	8
5	4	8	2	1	6	3	7	9
4	5	7	8	2	1	9	3	6
6	2	3	9	7	5	4	8	1
9	8	1	3	6	4	2	5	7
2	7	9	1	5	8	6	4	3
3	6	4	7	9	2	8	1	5
8	1	5	6	4	3	7	9	2

67

4	8	2	1	3	5	6	7	9
1	3	6	7	9	4	5	8	2
5	7	9	6	2	8	3	1	4
2	9	5	8	1	3	4	6	7
6	4	3	2	5	7	1	9	8
7	1	8	9	4	6	2	3	5
8	2	1	5	6	9	7	4	3
3	6	7	4	8	2	9	5	1
9	5	4	3	7	1	8	2	6

68

1	3	2	8	6	5	9	4	7
6	7	9	1	4	2	8	3	5
8	4	5	9	3	7	1	2	6
4	2	6	5	7	1	3	9	8
9	5	1	3	8	4	7	6	2
7	8	3	6	2	9	5	1	4
3	1	8	2	5	6	4	7	9
2	9	7	4	1	8	6	5	3
5	6	4	7	9	3	2	8	1

69

9	8	5	1	2	4	3	6	7
3	6	4	7	8	9	2	5	1
1	2	7	6	5	3	9	8	4
5	4	8	2	3	6	1	7	9
6	3	1	8	9	7	5	4	2
2	7	9	5	4	1	8	3	6
4	1	2	3	7	5	6	9	8
7	5	6	9	1	8	4	2	3
8	9	3	4	6	2	7	1	5

70

8	9	6	3	1	5	2	4	7
7	1	5	6	4	2	9	8	3
4	2	3	9	7	8	5	6	1
9	5	8	4	2	3	1	7	6
2	4	7	8	6	1	3	9	5
6	3	1	7	5	9	4	2	8
5	6	9	2	3	7	8	1	4
1	8	4	5	9	6	7	3	2
3	7	2	1	8	4	6	5	9

71

7	2	5	9	1	4	8	6	3
8	4	3	2	6	5	1	9	7
9	1	6	7	3	8	2	4	5
3	8	2	1	4	6	7	5	9
5	7	9	8	2	3	6	1	4
1	6	4	5	7	9	3	2	8
2	5	1	4	8	7	9	3	6
6	9	7	3	5	2	4	8	1
4	3	8	6	9	1	5	7	2

72

8	2	6	7	9	3	4	5	1
4	5	1	8	6	2	9	3	7
7	9	3	1	4	5	8	6	2
2	3	4	5	1	9	7	8	6
1	6	8	3	2	7	5	9	4
5	7	9	4	8	6	2	1	3
3	4	7	9	5	1	6	2	8
9	1	2	6	7	8	3	4	5
6	8	5	2	3	4	1	7	9

73

4	7	2	5	8	3	1	9	6
1	6	5	4	9	7	3	2	8
9	8	3	2	6	1	4	7	5
7	2	4	3	5	6	8	1	9
3	5	8	9	1	4	7	6	2
6	9	1	7	2	8	5	3	4
5	3	9	1	4	2	6	8	7
8	4	7	6	3	9	2	5	1
2	1	6	8	7	5	9	4	3

74

6	5	2	7	3	1	9	8	4
4	8	1	9	2	5	6	3	7
3	7	9	6	4	8	5	2	1
5	3	6	4	7	9	2	1	8
1	2	4	8	6	3	7	5	9
8	9	7	5	1	2	4	6	3
7	4	5	3	8	6	1	9	2
2	6	8	1	9	7	3	4	5
9	1	3	2	5	4	8	7	6

75

1	5	3	4	8	9	6	7	2
8	6	9	1	7	2	5	4	3
7	2	4	6	3	5	1	8	9
3	4	2	7	1	6	9	5	8
5	9	8	2	4	3	7	1	6
6	1	7	5	9	8	3	2	4
2	7	5	9	6	4	8	3	1
9	3	1	8	2	7	4	6	5
4	8	6	3	5	1	2	9	7

76

9	2	4	8	5	7	6	1	3
5	7	3	6	1	9	2	4	8
6	8	1	3	4	2	9	7	5
8	4	9	5	2	6	7	3	1
2	1	7	4	3	8	5	6	9
3	5	6	7	9	1	8	2	4
4	9	8	2	6	3	1	5	7
7	6	5	1	8	4	3	9	2
1	3	2	9	7	5	4	8	6

77

7	8	6	2	9	4	5	1	3
5	2	4	3	1	8	6	7	9
9	1	3	7	6	5	4	8	2
8	3	5	1	7	9	2	4	6
4	6	2	5	8	3	1	9	7
1	7	9	6	4	2	8	3	5
2	5	1	8	3	7	9	6	4
6	9	7	4	5	1	3	2	8
3	4	8	9	2	6	7	5	1

78

8	6	4	5	7	2	3	9	1
3	9	2	4	6	1	8	7	5
5	1	7	9	8	3	4	6	2
2	8	3	6	1	4	7	5	9
6	4	5	8	9	7	1	2	3
9	7	1	2	3	5	6	8	4
4	3	6	7	2	9	5	1	8
7	5	9	1	4	8	2	3	6
1	2	8	3	5	6	9	4	7

79

4	3	1	2	9	6	5	8	7
9	5	2	7	8	4	1	6	3
7	8	6	1	5	3	2	9	4
1	2	8	9	7	5	4	3	6
3	4	5	8	6	1	9	7	2
6	7	9	3	4	2	8	5	1
5	6	7	4	1	9	3	2	8
2	9	4	6	3	8	7	1	5
8	1	3	5	2	7	6	4	9

80

8	2	9	4	6	5	3	7	1
6	3	5	7	1	2	4	9	8
1	7	4	3	9	8	2	6	5
9	4	1	8	2	7	5	3	6
3	6	8	1	5	4	7	2	9
2	5	7	6	3	9	8	1	4
7	8	2	9	4	1	6	5	3
5	9	3	2	8	6	1	4	7
4	1	6	5	7	3	9	8	2

81

8	9	1	5	4	2	6	7	3
3	7	2	6	8	9	4	1	5
4	5	6	3	7	1	2	9	8
5	8	7	4	3	6	9	2	1
2	1	4	7	9	5	8	3	6
9	6	3	2	1	8	7	5	4
7	4	5	9	6	3	1	8	2
1	3	9	8	2	4	5	6	7
6	2	8	1	5	7	3	4	9

82

8	4	5	2	3	1	7	9	6
9	1	7	4	6	8	2	3	5
3	6	2	7	5	9	4	8	1
6	2	9	3	8	7	5	1	4
7	5	4	9	1	6	3	2	8
1	3	8	5	2	4	9	6	7
4	9	6	8	7	3	1	5	2
5	8	3	1	4	2	6	7	9
2	7	1	6	9	5	8	4	3

83

6	4	1	2	8	7	9	5	3
3	7	5	9	6	1	8	4	2
2	9	8	3	5	4	1	7	6
7	2	6	4	9	8	3	1	5
9	5	3	7	1	2	6	8	4
8	1	4	6	3	5	2	9	7
5	3	2	8	4	9	7	6	1
4	8	7	1	2	6	5	3	9
1	6	9	5	7	3	4	2	8

84

8	5	3	1	9	2	6	7	4
6	4	7	3	5	8	1	9	2
9	1	2	6	4	7	8	3	5
2	6	4	5	1	9	7	8	3
5	8	1	7	3	4	2	6	9
7	3	9	8	2	6	5	4	1
1	7	5	4	6	3	9	2	8
3	2	6	9	8	1	4	5	7
4	9	8	2	7	5	3	1	6

85

8	1	3	7	5	2	9	6	4
4	5	2	9	3	6	8	7	1
6	9	7	1	4	8	3	5	2
5	7	4	2	9	3	6	1	8
2	8	9	6	1	4	7	3	5
1	3	6	8	7	5	4	2	9
9	4	1	3	2	7	5	8	6
7	2	8	5	6	9	1	4	3
3	6	5	4	8	1	2	9	7

86

8	3	9	4	2	1	5	6	7
4	7	2	5	6	8	3	1	9
1	6	5	9	7	3	4	2	8
7	8	4	1	9	6	2	5	3
3	2	6	7	8	5	9	4	1
5	9	1	2	3	4	7	8	6
2	4	3	6	1	7	8	9	5
9	1	8	3	5	2	6	7	4
6	5	7	8	4	9	1	3	2

87

7	1	4	9	2	5	8	3	6
5	8	3	6	7	1	9	2	4
2	9	6	3	8	4	5	1	7
1	3	2	4	9	7	6	5	8
4	5	9	2	6	8	1	7	3
6	7	8	5	1	3	4	9	2
9	6	5	8	3	2	7	4	1
3	4	1	7	5	6	2	8	9
8	2	7	1	4	9	3	6	5

88

8	5	3	2	4	7	6	1	9
7	1	6	5	8	9	2	4	3
4	9	2	1	3	6	8	5	7
9	6	8	7	5	1	4	3	2
5	3	7	4	6	2	1	9	8
1	2	4	8	9	3	7	6	5
3	4	1	9	7	8	5	2	6
2	7	9	6	1	5	3	8	4
6	8	5	3	2	4	9	7	1

89

1	8	6	2	4	7	5	3	9
2	3	5	9	1	8	6	4	7
7	9	4	3	6	5	8	1	2
8	4	7	6	5	2	3	9	1
5	2	3	7	9	1	4	6	8
9	6	1	8	3	4	7	2	5
4	5	2	1	7	3	9	8	6
3	1	9	5	8	6	2	7	4
6	7	8	4	2	9	1	5	3

90

6	7	4	9	1	3	5	8	2
5	2	9	8	7	4	6	1	3
3	1	8	6	5	2	9	4	7
4	6	1	5	2	8	7	3	9
9	5	3	7	4	1	2	6	8
2	8	7	3	6	9	4	5	1
7	4	2	1	8	6	3	9	5
1	9	5	4	3	7	8	2	6
8	3	6	2	9	5	1	7	4

91

4	6	5	2	7	9	8	1	3
7	2	8	3	5	1	9	6	4
1	3	9	4	8	6	5	7	2
5	8	4	7	1	2	6	3	9
3	1	6	5	9	8	2	4	7
9	7	2	6	4	3	1	5	8
8	9	7	1	6	4	3	2	5
2	5	1	8	3	7	4	9	6
6	4	3	9	2	5	7	8	1

92

4	5	2	9	7	1	6	3	8
6	1	9	8	5	3	2	7	4
3	8	7	4	6	2	9	5	1
8	6	3	2	9	5	1	4	7
9	2	5	1	4	7	8	6	3
7	4	1	3	8	6	5	2	9
5	9	6	7	1	4	3	8	2
1	3	4	6	2	8	7	9	5
2	7	8	5	3	9	4	1	6

2	9	4	6	1	3	8	7	5
3	1	7	5	8	2	6	4	9
6	5	8	9	4	7	1	2	3
7	8	9	1	2	5	4	3	6
1	4	2	8	3	6	9	5	7
5	6	3	4	7	9	2	1	8
8	7	5	2	6	4	3	9	1
9	2	6	3	5	1	7	8	4
4	3	1	7	9	8	5	6	2

3	5	8	4	7	9	6	1	2
7	1	6	2	8	3	4	9	5
4	2	9	5	6	1	8	3	7
5	8	2	6	3	7	1	4	9
1	7	4	8	9	5	3	2	6
6	9	3	1	2	4	7	5	8
9	4	7	3	5	6	2	8	1
2	6	1	9	4	8	5	7	3
8	3	5	7	1	2	9	6	4

5	3	8	6	4	9	2	1	7
9	7	2	5	3	1	4	8	6
6	1	4	8	2	7	9	3	5
2	9	3	4	5	6	8	7	1
8	5	1	9	7	2	6	4	3
7	4	6	3	1	8	5	2	9
1	8	7	2	6	5	3	9	4
4	2	5	1	9	3	7	6	8
3	6	9	7	8	4	1	5	2

5	8	9	7	2	1	4	6	3
3	2	7	4	9	6	5	8	1
4	6	1	5	8	3	2	7	9
7	9	2	1	3	8	6	4	5
6	3	4	9	5	7	8	1	2
1	5	8	2	6	4	9	3	7
9	7	6	3	4	2	1	5	8
8	1	5	6	7	9	3	2	4
2	4	3	8	1	5	7	9	6

97

4	5	6	2	1	8	7	9	3
3	9	1	7	4	5	8	2	6
7	8	2	6	9	3	5	4	1
2	6	8	5	7	9	1	3	4
5	7	3	4	2	1	6	8	9
1	4	9	8	3	6	2	5	7
8	2	7	3	6	4	9	1	5
6	1	4	9	5	2	3	7	8
9	3	5	1	8	7	4	6	2

98

7	1	3	2	6	9	4	8	5
4	9	8	1	7	5	6	2	3
5	6	2	4	3	8	7	9	1
1	3	6	8	9	7	5	4	2
8	4	9	3	5	2	1	6	7
2	7	5	6	4	1	9	3	8
6	2	4	5	1	3	8	7	9
3	5	7	9	8	4	2	1	6
9	8	1	7	2	6	3	5	4

99

6	4	8	9	2	1	7	5	3
2	5	9	3	7	4	8	6	1
3	1	7	5	6	8	4	2	9
9	6	5	7	4	3	1	8	2
8	3	1	2	5	6	9	4	7
4	7	2	8	1	9	6	3	5
7	2	6	4	9	5	3	1	8
1	9	3	6	8	2	5	7	4
5	8	4	1	3	7	2	9	6

100

6	2	4	3	5	9	8	7	1
3	9	7	6	8	1	2	4	5
8	1	5	4	2	7	9	3	6
1	5	9	8	4	2	7	6	3
7	6	8	5	9	3	1	2	4
2	4	3	7	1	6	5	9	8
4	7	1	9	3	8	6	5	2
5	8	6	2	7	4	3	1	9
9	3	2	1	6	5	4	8	7

101

3	1	8	2	4	6	5	7	9
7	6	9	1	3	5	4	8	2
5	2	4	9	8	7	3	6	1
2	9	3	7	5	8	1	4	6
4	7	5	3	6	1	9	2	8
6	8	1	4	9	2	7	5	3
9	3	7	6	2	4	8	1	5
8	4	6	5	1	3	2	9	7
1	5	2	8	7	9	6	3	4

102

3	8	2	6	5	4	9	7	1
6	4	9	3	7	1	2	8	5
1	7	5	8	9	2	6	3	4
4	1	6	9	2	3	7	5	8
9	5	3	7	8	6	4	1	2
7	2	8	1	4	5	3	6	9
8	9	1	4	3	7	5	2	6
2	3	4	5	6	8	1	9	7
5	6	7	2	1	9	8	4	3

103

7	9	4	3	6	1	2	8	5
6	2	3	5	9	8	1	7	4
5	8	1	2	7	4	9	3	6
4	6	8	9	3	5	7	2	1
3	1	5	4	2	7	8	6	9
2	7	9	1	8	6	5	4	3
9	4	6	7	5	2	3	1	8
8	3	7	6	1	9	4	5	2
1	5	2	8	4	3	6	9	7

104

6	1	2	3	9	4	7	5	8
3	9	8	2	5	7	4	6	1
7	4	5	6	1	8	2	9	3
9	7	3	4	8	6	5	1	2
2	5	6	1	3	9	8	7	4
4	8	1	5	7	2	9	3	6
8	6	7	9	4	3	1	2	5
1	3	4	7	2	5	6	8	9
5	2	9	8	6	1	3	4	7

105

4	2	8	7	5	6	9	3	1
9	5	7	3	4	1	8	6	2
6	1	3	8	9	2	4	5	7
5	3	9	4	6	7	1	2	8
2	7	1	9	8	3	6	4	5
8	4	6	2	1	5	7	9	3
7	9	5	1	2	4	3	8	6
1	8	2	6	3	9	5	7	4
3	6	4	5	7	8	2	1	9

106

6	1	2	3	5	8	7	9	4
8	4	7	6	9	1	2	5	3
3	5	9	4	7	2	6	1	8
4	2	1	8	3	5	9	6	7
9	6	8	1	4	7	5	3	2
7	3	5	2	6	9	4	8	1
2	9	3	5	1	4	8	7	6
5	8	6	7	2	3	1	4	9
1	7	4	9	8	6	3	2	5

107

3	7	5	2	4	1	8	6	9
4	6	1	9	8	3	7	2	5
9	2	8	6	7	5	3	1	4
2	3	7	8	1	4	9	5	6
8	1	6	7	5	9	4	3	2
5	4	9	3	2	6	1	8	7
1	9	2	4	6	8	5	7	3
7	5	3	1	9	2	6	4	8
6	8	4	5	3	7	2	9	1

108

4	8	6	2	3	7	9	1	5
3	1	7	8	5	9	2	4	6
2	9	5	6	1	4	7	8	3
5	6	8	7	4	1	3	2	9
9	3	2	5	8	6	4	7	1
7	4	1	9	2	3	5	6	8
6	5	9	1	7	2	8	3	4
8	2	3	4	6	5	1	9	7
1	7	4	3	9	8	6	5	2

109

9	4	7	1	2	5	6	8	3
1	6	8	7	3	4	5	9	2
2	5	3	9	6	8	4	1	7
6	1	9	5	4	2	7	3	8
7	3	4	8	9	1	2	5	6
8	2	5	3	7	6	9	4	1
3	9	2	4	1	7	8	6	5
5	7	1	6	8	9	3	2	4
4	8	6	2	5	3	1	7	9

110

9	1	3	5	8	6	2	4	7
8	2	5	7	3	4	6	1	9
4	6	7	9	2	1	5	8	3
3	8	6	1	9	2	7	5	4
7	5	2	6	4	3	1	9	8
1	9	4	8	5	7	3	6	2
2	7	8	4	1	5	9	3	6
6	4	1	3	7	9	8	2	5
5	3	9	2	6	8	4	7	1

111

1	7	5	4	2	9	6	3	8
8	2	6	7	1	3	4	5	9
3	4	9	6	8	5	2	7	1
4	8	3	1	5	2	9	6	7
5	1	2	9	6	7	8	4	3
9	6	7	3	4	8	1	2	5
7	3	4	8	9	6	5	1	2
6	5	8	2	3	1	7	9	4
2	9	1	5	7	4	3	8	6

112

8	2	7	1	3	5	4	6	9
3	5	1	6	4	9	2	8	7
6	9	4	7	8	2	5	1	3
5	4	2	9	1	3	8	7	6
7	6	9	8	5	4	1	3	2
1	8	3	2	7	6	9	5	4
4	1	6	3	2	8	7	9	5
9	7	5	4	6	1	3	2	8
2	3	8	5	9	7	6	4	1

113

4	7	1	9	6	3	5	8	2
6	8	5	2	7	1	9	3	4
3	2	9	5	4	8	6	7	1
5	4	3	1	8	7	2	9	6
1	9	7	6	2	4	3	5	8
8	6	2	3	9	5	1	4	7
2	1	8	4	3	9	7	6	5
9	5	4	7	1	6	8	2	3
7	3	6	8	5	2	4	1	9

114

7	9	4	6	5	3	2	1	8
1	2	6	8	9	7	3	4	5
3	5	8	4	1	2	6	7	9
5	6	9	7	3	1	4	8	2
2	8	3	9	6	4	7	5	1
4	1	7	5	2	8	9	6	3
6	3	2	1	4	5	8	9	7
9	7	5	2	8	6	1	3	4
8	4	1	3	7	9	5	2	6

115

6	9	2	4	7	3	1	5	8
8	3	7	1	9	5	2	4	6
5	4	1	6	2	8	7	3	9
2	7	3	9	4	1	8	6	5
4	6	8	7	5	2	9	1	3
1	5	9	3	8	6	4	2	7
7	1	5	2	6	9	3	8	4
3	8	4	5	1	7	6	9	2
9	2	6	8	3	4	5	7	1

116

7	8	2	9	5	3	1	4	6
5	1	3	8	4	6	9	7	2
4	9	6	2	7	1	8	3	5
8	7	5	6	1	9	4	2	3
3	2	9	4	8	7	6	5	1
6	4	1	3	2	5	7	8	9
1	3	7	5	6	4	2	9	8
2	5	4	1	9	8	3	6	7
9	6	8	7	3	2	5	1	4

117

3	7	5	9	6	8	1	2	4
4	9	6	1	2	7	5	3	8
8	2	1	4	5	3	7	6	9
2	8	7	5	1	9	6	4	3
6	4	9	3	7	2	8	1	5
1	5	3	6	8	4	2	9	7
9	6	2	7	3	5	4	8	1
7	1	4	8	9	6	3	5	2
5	3	8	2	4	1	9	7	6

118

2	6	5	8	4	3	7	1	9
8	9	4	7	6	1	5	2	3
3	1	7	2	9	5	8	4	6
6	2	3	9	1	8	4	7	5
4	7	8	5	2	6	9	3	1
1	5	9	4	3	7	2	6	8
9	8	1	3	7	2	6	5	4
7	4	6	1	5	9	3	8	2
5	3	2	6	8	4	1	9	7

119

8	3	2	4	6	5	7	1	9
7	6	9	3	8	1	2	4	5
4	5	1	2	7	9	8	3	6
9	1	4	6	5	8	3	7	2
5	8	3	7	2	4	9	6	1
2	7	6	9	1	3	5	8	4
6	4	7	8	9	2	1	5	3
3	9	5	1	4	7	6	2	8
1	2	8	5	3	6	4	9	7

120

4	7	2	1	9	3	6	8	5
6	1	5	8	4	2	3	9	7
8	9	3	6	5	7	4	1	2
9	6	8	7	3	1	5	2	4
3	5	4	2	6	9	8	7	1
7	2	1	5	8	4	9	6	3
1	8	6	4	7	5	2	3	9
5	3	7	9	2	6	1	4	8
2	4	9	3	1	8	7	5	6

121

5	4	6	3	7	9	2	8	1
3	2	7	8	1	5	9	6	4
8	1	9	4	6	2	3	7	5
1	5	3	7	2	4	6	9	8
9	6	2	5	3	8	1	4	7
7	8	4	1	9	6	5	2	3
4	9	8	6	5	3	7	1	2
6	7	5	2	8	1	4	3	9
2	3	1	9	4	7	8	5	6

122

6	8	5	2	7	3	1	9	4
2	7	4	5	9	1	6	3	8
3	1	9	6	4	8	7	5	2
5	9	8	1	3	6	2	4	7
1	4	6	7	5	2	9	8	3
7	2	3	4	8	9	5	6	1
8	5	1	3	6	7	4	2	9
4	3	2	9	1	5	8	7	6
9	6	7	8	2	4	3	1	5

123

4	5	7	1	8	3	9	2	6
9	8	3	2	6	7	1	4	5
1	2	6	9	5	4	7	8	3
2	1	8	3	7	5	4	6	9
3	6	5	4	9	2	8	7	1
7	9	4	6	1	8	3	5	2
5	4	2	8	3	1	6	9	7
8	3	9	7	2	6	5	1	4
6	7	1	5	4	9	2	3	8

124

9	6	8	4	3	2	5	7	1
2	3	7	1	5	9	4	8	6
4	5	1	7	8	6	3	9	2
5	4	2	9	7	1	6	3	8
6	7	9	3	4	8	2	1	5
1	8	3	6	2	5	7	4	9
7	2	5	8	9	3	1	6	4
3	9	6	2	1	4	8	5	7
8	1	4	5	6	7	9	2	3

125

6	7	9	5	2	8	3	4	1
1	3	5	6	4	7	9	2	8
4	2	8	3	1	9	6	7	5
9	8	6	1	3	2	4	5	7
7	1	3	4	8	5	2	6	9
5	4	2	9	7	6	8	1	3
8	6	7	2	5	3	1	9	4
3	9	1	7	6	4	5	8	2
2	5	4	8	9	1	7	3	6

126

8	6	2	5	9	1	3	7	4
3	5	9	7	4	8	6	2	1
7	1	4	3	6	2	8	5	9
4	2	3	9	8	6	5	1	7
1	7	8	4	5	3	2	9	6
5	9	6	2	1	7	4	3	8
9	3	5	8	7	4	1	6	2
6	8	7	1	2	5	9	4	3
2	4	1	6	3	9	7	8	5

127

6	3	7	5	4	9	8	1	2
1	4	2	6	7	8	3	5	9
5	8	9	2	3	1	7	6	4
2	7	5	4	6	3	1	9	8
8	9	6	1	2	5	4	7	3
3	1	4	9	8	7	6	2	5
9	2	8	3	1	6	5	4	7
7	5	1	8	9	4	2	3	6
4	6	3	7	5	2	9	8	1

128

9	8	3	2	6	1	4	5	7
7	4	6	8	5	3	1	9	2
5	2	1	4	7	9	6	8	3
4	3	2	7	8	6	9	1	5
6	9	5	1	3	4	7	2	8
8	1	7	5	9	2	3	4	6
2	6	4	3	1	8	5	7	9
1	5	9	6	2	7	8	3	4
3	7	8	9	4	5	2	6	1

129

9	7	5	2	1	4	8	3	6
4	3	6	9	7	8	5	2	1
1	2	8	5	6	3	7	9	4
3	8	2	1	4	7	9	6	5
5	6	1	3	8	9	4	7	2
7	4	9	6	2	5	3	1	8
2	5	7	4	9	1	6	8	3
6	9	4	8	3	2	1	5	7
8	1	3	7	5	6	2	4	9

130

5	2	7	4	9	3	8	1	6
1	4	6	5	8	2	3	7	9
8	3	9	1	6	7	5	4	2
7	5	4	9	3	1	6	2	8
9	8	3	2	7	6	1	5	4
2	6	1	8	5	4	7	9	3
6	1	2	3	4	5	9	8	7
3	9	5	7	2	8	4	6	1
4	7	8	6	1	9	2	3	5

131

1	3	6	7	2	5	9	4	8
9	7	4	1	3	8	5	2	6
2	8	5	4	6	9	7	3	1
5	1	2	6	7	4	8	9	3
6	4	8	3	9	1	2	5	7
3	9	7	5	8	2	6	1	4
4	2	9	8	1	7	3	6	5
8	5	3	9	4	6	1	7	2
7	6	1	2	5	3	4	8	9

132

2	6	3	4	1	9	8	5	7
9	1	7	2	8	5	3	6	4
4	8	5	7	6	3	1	9	2
7	9	6	5	4	1	2	3	8
1	3	8	9	2	7	6	4	5
5	2	4	8	3	6	7	1	9
6	5	2	3	9	8	4	7	1
8	7	1	6	5	4	9	2	3
3	4	9	1	7	2	5	8	6

133

8	4	5	9	2	1	3	6	7
2	9	7	8	6	3	4	1	5
3	1	6	4	7	5	9	2	8
7	8	4	6	1	9	2	5	3
5	6	9	2	3	8	1	7	4
1	2	3	5	4	7	6	8	9
6	3	2	7	5	4	8	9	1
9	7	1	3	8	2	5	4	6
4	5	8	1	9	6	7	3	2

134

1	8	4	5	6	3	7	2	9
6	2	7	1	9	8	3	4	5
3	9	5	2	7	4	6	1	8
7	4	3	8	2	1	5	9	6
2	5	6	9	4	7	1	8	3
8	1	9	3	5	6	4	7	2
5	3	1	7	8	2	9	6	4
9	6	8	4	1	5	2	3	7
4	7	2	6	3	9	8	5	1

135

6	9	5	8	1	2	3	7	4
3	8	2	9	4	7	5	1	6
1	4	7	6	5	3	2	9	8
4	2	8	3	6	9	7	5	1
9	1	3	5	7	8	6	4	2
7	5	6	1	2	4	9	8	3
5	3	9	4	8	6	1	2	7
8	7	1	2	3	5	4	6	9
2	6	4	7	9	1	8	3	5

136

9	3	2	8	4	7	6	5	1
6	1	4	3	2	5	8	9	7
5	8	7	6	1	9	3	4	2
1	2	9	5	6	3	4	7	8
7	4	5	2	9	8	1	3	6
8	6	3	1	7	4	5	2	9
4	7	1	9	5	6	2	8	3
3	5	6	7	8	2	9	1	4
2	9	8	4	3	1	7	6	5

137

7	9	6	2	1	3	5	4	8
1	5	4	6	7	8	3	9	2
8	3	2	5	4	9	7	6	1
2	7	9	3	5	6	1	8	4
3	6	8	1	2	4	9	7	5
4	1	5	8	9	7	2	3	6
6	8	1	7	3	5	4	2	9
9	2	3	4	6	1	8	5	7
5	4	7	9	8	2	6	1	3

138

8	7	4	2	9	5	3	6	1
6	3	5	7	1	8	9	2	4
2	1	9	3	4	6	5	7	8
1	8	3	9	6	7	2	4	5
4	5	7	1	3	2	8	9	6
9	6	2	5	8	4	7	1	3
3	9	6	8	7	1	4	5	2
7	2	1	4	5	3	6	8	9
5	4	8	6	2	9	1	3	7

139

2	1	7	9	6	4	3	5	8
5	6	3	8	2	7	4	9	1
9	4	8	1	3	5	2	6	7
6	8	4	2	9	1	7	3	5
7	3	5	4	8	6	1	2	9
1	9	2	7	5	3	8	4	6
8	5	9	3	1	2	6	7	4
3	7	6	5	4	8	9	1	2
4	2	1	6	7	9	5	8	3

140

5	7	9	4	8	1	2	3	6
1	2	8	5	3	6	4	7	9
3	4	6	9	7	2	1	8	5
4	5	2	3	1	8	9	6	7
8	3	7	6	9	4	5	1	2
9	6	1	7	2	5	3	4	8
6	8	5	2	4	3	7	9	1
7	1	3	8	5	9	6	2	4
2	9	4	1	6	7	8	5	3

141

5	9	8	1	2	7	3	6	4
4	6	2	3	9	8	1	5	7
1	7	3	5	4	6	8	9	2
2	1	4	9	3	5	7	8	6
6	5	7	8	1	4	2	3	9
3	8	9	7	6	2	5	4	1
9	4	1	2	8	3	6	7	5
8	2	5	6	7	9	4	1	3
7	3	6	4	5	1	9	2	8

142

8	2	7	3	4	6	9	1	5
5	9	3	8	1	7	6	2	4
1	4	6	9	5	2	8	7	3
4	8	1	2	9	3	5	6	7
7	6	2	4	8	5	1	3	9
9	3	5	6	7	1	4	8	2
2	7	8	5	6	9	3	4	1
6	1	9	7	3	4	2	5	8
3	5	4	1	2	8	7	9	6

143

4	6	8	2	7	9	3	1	5
3	9	7	4	5	1	8	2	6
1	5	2	6	3	8	7	9	4
7	2	5	3	6	4	1	8	9
6	3	1	8	9	2	4	5	7
9	8	4	7	1	5	6	3	2
8	4	3	5	2	6	9	7	1
2	7	9	1	4	3	5	6	8
5	1	6	9	8	7	2	4	3

144

9	5	6	7	4	1	8	3	2
8	7	3	2	6	9	4	1	5
4	1	2	5	3	8	9	6	7
3	4	9	1	5	6	2	7	8
5	6	7	8	2	4	3	9	1
2	8	1	9	7	3	6	5	4
7	9	5	6	8	2	1	4	3
6	2	4	3	1	5	7	8	9
1	3	8	4	9	7	5	2	6

145

2	8	9	7	4	6	5	1	3
5	7	4	3	1	2	8	6	9
6	3	1	5	8	9	2	7	4
4	2	8	1	5	7	3	9	6
7	6	3	8	9	4	1	5	2
9	1	5	2	6	3	4	8	7
1	4	7	9	2	8	6	3	5
8	9	2	6	3	5	7	4	1
3	5	6	4	7	1	9	2	8

146

8	1	4	3	5	6	2	9	7
7	6	2	4	1	9	8	3	5
9	5	3	2	7	8	4	6	1
6	4	5	9	3	7	1	2	8
2	8	7	1	6	4	3	5	9
1	3	9	5	8	2	7	4	6
3	9	1	8	2	5	6	7	4
4	7	8	6	9	3	5	1	2
5	2	6	7	4	1	9	8	3

147

6	2	3	5	8	1	9	4	7
4	1	7	9	3	2	5	6	8
8	5	9	4	7	6	1	3	2
3	7	8	6	1	9	2	5	4
5	6	4	8	2	7	3	9	1
2	9	1	3	5	4	7	8	6
9	8	2	7	4	5	6	1	3
7	3	5	1	6	8	4	2	9
1	4	6	2	9	3	8	7	5

148

7	3	9	1	6	2	4	8	5
6	1	5	8	9	4	7	3	2
8	2	4	3	5	7	1	9	6
4	8	6	7	1	3	2	5	9
3	9	7	5	2	8	6	1	4
1	5	2	9	4	6	8	7	3
9	6	3	4	7	1	5	2	8
5	4	1	2	8	9	3	6	7
2	7	8	6	3	5	9	4	1

149

7	6	5	1	3	4	8	9	2
1	9	8	2	6	5	3	7	4
3	2	4	7	8	9	5	6	1
4	3	7	8	9	2	1	5	6
9	1	2	3	5	6	7	4	8
5	8	6	4	7	1	2	3	9
2	7	3	9	4	8	6	1	5
6	4	1	5	2	7	9	8	3
8	5	9	6	1	3	4	2	7

150

1	4	6	5	9	7	8	2	3
9	5	8	3	2	6	1	4	7
3	2	7	4	8	1	9	5	6
4	3	2	9	7	5	6	8	1
6	1	5	8	3	4	2	7	9
8	7	9	1	6	2	4	3	5
5	9	4	2	1	3	7	6	8
7	8	3	6	4	9	5	1	2
2	6	1	7	5	8	3	9	4

151

4	6	3	7	5	1	9	2	8
7	5	1	8	2	9	4	6	3
9	8	2	6	4	3	1	5	7
2	9	8	3	7	4	6	1	5
6	7	5	9	1	2	8	3	4
3	1	4	5	8	6	2	7	9
5	3	9	1	6	8	7	4	2
1	4	7	2	9	5	3	8	6
8	2	6	4	3	7	5	9	1

152

2	9	3	7	1	6	8	4	5
1	4	7	8	5	2	9	6	3
6	5	8	9	4	3	7	1	2
3	6	1	2	7	5	4	8	9
7	2	4	1	8	9	3	5	6
5	8	9	6	3	4	2	7	1
8	7	2	5	9	1	6	3	4
4	1	6	3	2	7	5	9	8
9	3	5	4	6	8	1	2	7

153

7	3	4	2	8	1	5	9	6
2	6	5	9	4	3	7	1	8
1	8	9	6	5	7	3	2	4
3	9	2	8	1	5	6	4	7
8	5	1	4	7	6	9	3	2
6	4	7	3	9	2	1	8	5
4	1	3	7	6	8	2	5	9
9	2	6	5	3	4	8	7	1
5	7	8	1	2	9	4	6	3

154

6	9	3	7	4	8	5	2	1
5	2	1	9	3	6	8	7	4
4	7	8	2	1	5	6	9	3
2	1	5	4	6	7	9	3	8
7	3	6	8	5	9	4	1	2
8	4	9	3	2	1	7	6	5
3	8	4	6	9	2	1	5	7
9	5	7	1	8	3	2	4	6
1	6	2	5	7	4	3	8	9

155

4	7	2	8	9	3	5	1	6
3	5	8	4	6	1	7	9	2
6	1	9	7	5	2	4	3	8
1	6	3	9	2	5	8	4	7
9	8	5	1	7	4	6	2	3
2	4	7	3	8	6	9	5	1
7	2	4	5	1	8	3	6	9
8	3	1	6	4	9	2	7	5
5	9	6	2	3	7	1	8	4

156

1	7	3	4	5	6	9	2	8
5	8	4	9	3	2	7	1	6
6	2	9	1	8	7	5	4	3
9	1	8	6	2	4	3	5	7
4	6	7	3	9	5	2	8	1
3	5	2	7	1	8	4	6	9
7	3	6	5	4	1	8	9	2
8	9	5	2	6	3	1	7	4
2	4	1	8	7	9	6	3	5

157

9	7	1	4	5	6	3	8	2
6	4	2	8	9	3	5	1	7
3	8	5	7	1	2	4	6	9
2	5	7	1	3	8	6	9	4
1	3	4	5	6	9	2	7	8
8	9	6	2	7	4	1	5	3
7	1	3	9	2	5	8	4	6
4	2	9	6	8	1	7	3	5
5	6	8	3	4	7	9	2	1

158

4	9	8	5	7	1	6	2	3
5	2	3	6	9	8	7	1	4
6	1	7	2	3	4	9	8	5
1	7	9	4	2	5	3	6	8
3	6	5	8	1	9	4	7	2
2	8	4	3	6	7	5	9	1
9	5	6	1	8	3	2	4	7
8	4	2	7	5	6	1	3	9
7	3	1	9	4	2	8	5	6

159

3	9	7	4	5	1	6	8	2
5	6	8	2	9	7	1	4	3
2	1	4	3	6	8	7	5	9
6	8	3	1	7	2	5	9	4
4	7	9	5	8	3	2	1	6
1	2	5	9	4	6	8	3	7
9	4	1	7	2	5	3	6	8
8	3	2	6	1	4	9	7	5
7	5	6	8	3	9	4	2	1

160

4	2	9	8	7	1	3	5	6
3	7	6	2	9	5	8	4	1
1	8	5	6	4	3	7	9	2
9	6	2	4	5	7	1	3	8
7	4	8	3	1	2	5	6	9
5	1	3	9	8	6	2	7	4
8	9	1	5	3	4	6	2	7
2	5	4	7	6	8	9	1	3
6	3	7	1	2	9	4	8	5

161

8	6	4	1	3	2	5	7	9
3	2	9	7	5	8	1	4	6
5	1	7	6	4	9	2	8	3
1	9	6	5	8	3	7	2	4
7	3	2	4	9	1	6	5	8
4	8	5	2	6	7	3	9	1
9	5	1	8	7	6	4	3	2
6	7	3	9	2	4	8	1	5
2	4	8	3	1	5	9	6	7

162

1	8	7	9	3	5	2	4	6
4	3	5	1	2	6	8	7	9
2	6	9	8	7	4	3	1	5
9	5	8	4	6	3	7	2	1
7	4	6	2	1	8	5	9	3
3	1	2	5	9	7	6	8	4
5	7	1	3	8	9	4	6	2
6	2	4	7	5	1	9	3	8
8	9	3	6	4	2	1	5	7

163

1	8	5	3	4	2	7	6	9
4	6	3	1	9	7	8	5	2
7	9	2	8	5	6	4	1	3
3	4	1	2	7	8	5	9	6
2	7	6	5	1	9	3	8	4
8	5	9	6	3	4	1	2	7
5	2	7	9	8	3	6	4	1
6	1	4	7	2	5	9	3	8
9	3	8	4	6	1	2	7	5

164

6	5	1	2	4	9	8	7	3
8	7	9	1	6	3	2	5	4
4	3	2	5	7	8	1	6	9
1	6	4	3	9	5	7	8	2
5	9	3	7	8	2	4	1	6
7	2	8	6	1	4	9	3	5
2	8	6	9	5	7	3	4	1
3	1	7	4	2	6	5	9	8
9	4	5	8	3	1	6	2	7

165

4	2	3	5	9	1	6	8	7
5	9	8	7	6	3	1	4	2
1	6	7	4	2	8	5	3	9
8	4	6	2	1	7	3	9	5
2	3	9	6	8	5	7	1	4
7	5	1	9	3	4	2	6	8
3	7	2	1	4	9	8	5	6
6	1	4	8	5	2	9	7	3
9	8	5	3	7	6	4	2	1

166

4	2	9	7	8	3	5	6	1
8	5	1	6	2	4	9	3	7
3	6	7	5	1	9	8	2	4
1	4	6	2	3	8	7	5	9
5	3	8	9	4	7	2	1	6
7	9	2	1	6	5	4	8	3
6	1	5	4	7	2	3	9	8
2	8	4	3	9	1	6	7	5
9	7	3	8	5	6	1	4	2

167

9	6	3	4	5	1	8	7	2
7	1	5	9	2	8	4	3	6
2	4	8	3	7	6	9	5	1
8	5	9	7	6	3	2	1	4
1	2	4	8	9	5	3	6	7
6	3	7	2	1	4	5	8	9
3	8	6	1	4	9	7	2	5
4	7	1	5	3	2	6	9	8
5	9	2	6	8	7	1	4	3

168

6	9	5	2	8	7	3	4	1
7	4	2	3	6	1	9	8	5
8	3	1	5	9	4	2	6	7
9	7	4	8	1	5	6	3	2
3	2	6	4	7	9	5	1	8
1	5	8	6	3	2	7	9	4
5	8	9	1	2	6	4	7	3
4	1	7	9	5	3	8	2	6
2	6	3	7	4	8	1	5	9

169

6	1	2	7	5	4	8	3	9
8	3	4	2	6	9	7	5	1
5	7	9	1	3	8	2	6	4
1	9	6	3	4	2	5	7	8
4	8	7	5	1	6	9	2	3
2	5	3	9	8	7	1	4	6
3	6	5	8	7	1	4	9	2
9	4	8	6	2	5	3	1	7
7	2	1	4	9	3	6	8	5

170

3	7	4	2	1	6	8	5	9
6	8	2	9	4	5	1	3	7
1	5	9	7	8	3	2	4	6
4	6	7	3	2	1	5	9	8
2	9	8	4	5	7	6	1	3
5	1	3	6	9	8	7	2	4
8	3	5	1	6	9	4	7	2
7	2	1	8	3	4	9	6	5
9	4	6	5	7	2	3	8	1

171

7	2	5	8	3	1	4	9	6
8	4	6	7	5	9	1	3	2
1	9	3	4	6	2	8	5	7
5	3	8	6	2	4	7	1	9
4	1	7	9	8	5	2	6	3
2	6	9	1	7	3	5	8	4
6	5	2	3	1	7	9	4	8
9	8	1	2	4	6	3	7	5
3	7	4	5	9	8	6	2	1

172

6	5	7	8	1	3	4	9	2
4	3	9	7	6	2	5	1	8
2	8	1	9	4	5	6	3	7
9	4	8	2	7	6	1	5	3
5	6	3	1	8	9	2	7	4
1	7	2	5	3	4	8	6	9
7	2	5	4	9	1	3	8	6
8	1	6	3	2	7	9	4	5
3	9	4	6	5	8	7	2	1

173

1	2	4	6	7	9	5	8	3
6	9	3	2	5	8	1	4	7
7	8	5	4	3	1	6	9	2
8	5	6	9	1	7	3	2	4
9	4	7	5	2	3	8	1	6
3	1	2	8	4	6	9	7	5
5	7	1	3	8	2	4	6	9
4	6	8	7	9	5	2	3	1
2	3	9	1	6	4	7	5	8

174

3	1	8	9	6	5	4	7	2
7	4	5	2	8	3	1	9	6
2	9	6	1	7	4	5	3	8
4	6	3	7	9	8	2	5	1
8	2	1	5	3	6	7	4	9
5	7	9	4	2	1	6	8	3
1	8	7	3	5	2	9	6	4
9	3	4	6	1	7	8	2	5
6	5	2	8	4	9	3	1	7

175

3	2	7	4	6	1	8	5	9
4	8	6	7	5	9	3	1	2
1	5	9	2	3	8	4	7	6
7	9	4	3	8	2	5	6	1
2	6	5	1	9	4	7	3	8
8	1	3	5	7	6	9	2	4
5	4	2	9	1	3	6	8	7
6	3	1	8	4	7	2	9	5
9	7	8	6	2	5	1	4	3

176

9	8	2	1	3	5	7	6	4
7	4	6	8	2	9	1	5	3
5	1	3	7	4	6	2	9	8
4	9	1	3	8	2	6	7	5
2	7	8	6	5	1	4	3	9
3	6	5	4	9	7	8	2	1
6	3	7	9	1	8	5	4	2
1	5	9	2	6	4	3	8	7
8	2	4	5	7	3	9	1	6

177

5	2	6	7	4	8	9	3	1
8	3	1	6	5	9	2	7	4
4	9	7	2	3	1	6	8	5
3	4	9	8	6	2	1	5	7
6	1	5	9	7	4	3	2	8
7	8	2	3	1	5	4	9	6
2	5	3	1	8	6	7	4	9
9	6	4	5	2	7	8	1	3
1	7	8	4	9	3	5	6	2

178

7	4	6	2	9	1	8	3	5
3	2	8	5	7	6	4	9	1
5	9	1	3	4	8	2	6	7
9	7	5	8	1	3	6	4	2
6	3	2	4	5	9	7	1	8
1	8	4	7	6	2	9	5	3
2	6	9	1	3	7	5	8	4
8	5	3	9	2	4	1	7	6
4	1	7	6	8	5	3	2	9

179

7	1	6	9	5	4	3	8	2
5	4	3	6	2	8	7	1	9
8	2	9	1	7	3	6	5	4
1	8	5	2	4	7	9	6	3
6	7	2	3	8	9	1	4	5
3	9	4	5	6	1	8	2	7
9	3	8	4	1	2	5	7	6
2	5	1	7	9	6	4	3	8
4	6	7	8	3	5	2	9	1

180

6	5	7	3	1	2	4	8	9
3	1	8	9	7	4	6	2	5
4	2	9	6	8	5	1	3	7
7	9	6	4	2	1	3	5	8
2	3	1	5	6	8	9	7	4
8	4	5	7	3	9	2	1	6
1	6	4	8	5	3	7	9	2
9	8	3	2	4	7	5	6	1
5	7	2	1	9	6	8	4	3

181

9	3	2	4	7	5	6	1	8
7	4	1	6	8	3	9	5	2
5	6	8	9	1	2	4	3	7
4	5	6	1	3	7	8	2	9
1	8	9	2	6	4	5	7	3
3	2	7	8	5	9	1	4	6
8	7	3	5	9	1	2	6	4
2	9	5	7	4	6	3	8	1
6	1	4	3	2	8	7	9	5

182

4	2	1	8	7	6	5	9	3
8	5	9	2	4	3	1	6	7
3	6	7	1	9	5	8	4	2
9	1	6	4	5	7	2	3	8
2	3	8	9	6	1	7	5	4
7	4	5	3	2	8	9	1	6
1	7	3	5	8	4	6	2	9
5	8	2	6	3	9	4	7	1
6	9	4	7	1	2	3	8	5

183

4	9	7	6	5	2	8	1	3
2	6	1	7	8	3	4	9	5
8	3	5	9	1	4	6	7	2
3	2	9	4	7	5	1	8	6
7	5	8	1	6	9	2	3	4
1	4	6	2	3	8	9	5	7
9	8	2	3	4	7	5	6	1
5	1	3	8	2	6	7	4	9
6	7	4	5	9	1	3	2	8

184

5	7	9	8	1	3	2	6	4
4	6	1	2	7	5	8	9	3
3	8	2	6	4	9	1	5	7
7	4	8	9	5	6	3	1	2
2	1	5	4	3	7	6	8	9
6	9	3	1	8	2	4	7	5
8	5	4	7	2	1	9	3	6
1	3	6	5	9	4	7	2	8
9	2	7	3	6	8	5	4	1

185

4	7	5	1	2	9	8	3	6
6	8	3	4	7	5	1	2	9
9	1	2	6	3	8	7	4	5
8	3	6	5	1	2	9	7	4
7	2	4	9	8	6	5	1	3
5	9	1	7	4	3	2	6	8
1	5	8	2	6	4	3	9	7
3	6	7	8	9	1	4	5	2
2	4	9	3	5	7	6	8	1

186

2	6	3	4	1	8	7	5	9
8	7	4	5	3	9	1	2	6
5	9	1	6	7	2	8	4	3
6	3	2	7	9	5	4	1	8
4	1	5	8	2	3	6	9	7
9	8	7	1	4	6	2	3	5
7	2	6	9	5	4	3	8	1
1	4	9	3	8	7	5	6	2
3	5	8	2	6	1	9	7	4

187

1	6	9	2	7	5	8	3	4
8	5	2	4	6	3	7	1	9
7	4	3	8	9	1	5	2	6
3	2	4	1	5	8	9	6	7
9	1	7	3	4	6	2	5	8
5	8	6	7	2	9	3	4	1
6	3	5	9	1	7	4	8	2
2	9	8	6	3	4	1	7	5
4	7	1	5	8	2	6	9	3

188

7	4	9	2	6	1	5	3	8
8	6	5	9	7	3	4	1	2
1	3	2	8	5	4	9	6	7
9	1	3	7	4	2	6	8	5
4	5	6	1	9	8	2	7	3
2	8	7	5	3	6	1	4	9
6	9	1	3	2	7	8	5	4
5	7	8	4	1	9	3	2	6
3	2	4	6	8	5	7	9	1

189

9	4	3	5	2	8	6	7	1
6	8	2	7	3	1	4	9	5
1	7	5	9	6	4	2	3	8
2	5	9	8	1	7	3	4	6
8	1	6	3	4	2	9	5	7
7	3	4	6	5	9	1	8	2
3	2	7	1	9	5	8	6	4
4	6	8	2	7	3	5	1	9
5	9	1	4	8	6	7	2	3

190

1	9	6	3	7	4	5	2	8
2	3	8	5	1	9	4	6	7
5	4	7	2	6	8	9	3	1
6	2	4	1	9	3	7	8	5
8	5	3	4	2	7	1	9	6
7	1	9	6	8	5	3	4	2
9	7	5	8	3	6	2	1	4
3	8	2	7	4	1	6	5	9
4	6	1	9	5	2	8	7	3

191

8	1	9	5	6	2	7	4	3
4	5	6	9	3	7	8	1	2
7	2	3	8	4	1	6	9	5
5	6	8	4	2	3	1	7	9
1	7	2	6	5	9	3	8	4
3	9	4	1	7	8	2	5	6
2	3	5	7	1	4	9	6	8
9	4	1	3	8	6	5	2	7
6	8	7	2	9	5	4	3	1

192

3	1	8	9	6	7	4	5	2
5	7	2	1	4	3	6	9	8
4	6	9	2	8	5	1	7	3
2	8	6	7	5	4	9	3	1
9	4	3	8	1	6	5	2	7
1	5	7	3	9	2	8	4	6
7	9	5	6	2	8	3	1	4
6	2	4	5	3	1	7	8	9
8	3	1	4	7	9	2	6	5

193

9	1	6	4	3	8	5	7	2
5	8	3	7	1	2	6	9	4
7	2	4	6	9	5	1	3	8
1	7	8	5	6	9	2	4	3
2	6	9	3	4	7	8	1	5
3	4	5	8	2	1	7	6	9
4	3	2	1	8	6	9	5	7
8	5	1	9	7	3	4	2	6
6	9	7	2	5	4	3	8	1

194

9	8	4	6	7	3	2	5	1
5	3	7	1	4	2	9	8	6
6	2	1	5	8	9	7	3	4
2	9	6	8	1	7	5	4	3
7	1	5	2	3	4	8	6	9
8	4	3	9	6	5	1	7	2
1	5	8	3	9	6	4	2	7
4	6	9	7	2	8	3	1	5
3	7	2	4	5	1	6	9	8

195

9	6	8	2	7	5	4	3	1
1	2	5	8	4	3	9	6	7
7	3	4	9	6	1	5	8	2
6	9	2	5	8	4	7	1	3
5	7	1	6	3	9	2	4	8
4	8	3	7	1	2	6	5	9
2	4	7	3	5	8	1	9	6
8	5	6	1	9	7	3	2	4
3	1	9	4	2	6	8	7	5

196

8	3	2	4	9	6	5	7	1
7	9	1	5	3	8	6	2	4
5	6	4	1	7	2	9	8	3
9	5	6	7	8	1	4	3	2
3	1	8	2	5	4	7	9	6
2	4	7	9	6	3	8	1	5
4	7	5	3	1	9	2	6	8
1	8	9	6	2	5	3	4	7
6	2	3	8	4	7	1	5	9

197

4	6	5	7	9	8	1	3	2
3	1	8	5	6	2	4	9	7
7	2	9	4	1	3	6	5	8
8	5	1	9	7	4	2	6	3
9	4	2	8	3	6	7	1	5
6	3	7	2	5	1	9	8	4
5	7	6	3	4	9	8	2	1
2	9	3	1	8	7	5	4	6
1	8	4	6	2	5	3	7	9

198

2	4	6	8	5	3	7	9	1
7	1	8	2	9	4	6	3	5
9	5	3	6	1	7	8	2	4
5	6	7	3	8	1	9	4	2
1	2	9	5	4	6	3	8	7
8	3	4	7	2	9	5	1	6
4	7	1	9	6	8	2	5	3
3	9	5	4	7	2	1	6	8
6	8	2	1	3	5	4	7	9

199

2	6	9	3	7	8	4	1	5
4	8	5	9	1	6	7	2	3
7	1	3	5	4	2	8	9	6
9	2	6	7	5	4	1	3	8
8	4	7	1	6	3	9	5	2
3	5	1	2	8	9	6	4	7
5	9	4	6	3	7	2	8	1
6	3	8	4	2	1	5	7	9
1	7	2	8	9	5	3	6	4

200

4	9	3	5	1	8	7	2	6
7	1	6	9	2	3	5	8	4
5	8	2	6	7	4	3	1	9
9	4	7	8	6	2	1	5	3
8	2	1	3	9	5	4	6	7
3	6	5	1	4	7	8	9	2
2	3	8	7	5	9	6	4	1
1	7	4	2	8	6	9	3	5
6	5	9	4	3	1	2	7	8

201

8	4	2	1	3	9	7	6	5
9	5	1	8	7	6	4	2	3
3	7	6	2	5	4	1	9	8
4	6	3	9	8	7	5	1	2
7	9	5	6	2	1	3	8	4
2	1	8	3	4	5	9	7	6
5	8	9	4	1	2	6	3	7
1	2	4	7	6	3	8	5	9
6	3	7	5	9	8	2	4	1

202

3	9	7	2	5	6	1	4	8
5	6	1	4	8	9	2	3	7
8	2	4	1	7	3	9	5	6
2	1	6	8	4	5	7	9	3
4	5	9	3	1	7	6	8	2
7	8	3	6	9	2	5	1	4
6	4	2	9	3	1	8	7	5
9	7	8	5	2	4	3	6	1
1	3	5	7	6	8	4	2	9

203

7	9	4	5	6	2	3	8	1
2	8	6	9	3	1	4	5	7
5	1	3	8	7	4	6	9	2
1	5	7	3	8	9	2	6	4
9	4	2	6	1	5	8	7	3
3	6	8	4	2	7	5	1	9
8	2	5	1	9	3	7	4	6
6	7	1	2	4	8	9	3	5
4	3	9	7	5	6	1	2	8

204

3	4	6	9	2	8	7	5	1
5	8	1	7	3	6	9	4	2
9	7	2	1	4	5	6	8	3
1	3	4	6	5	7	2	9	8
2	5	7	4	8	9	3	1	6
6	9	8	3	1	2	5	7	4
4	6	3	5	9	1	8	2	7
8	1	9	2	7	3	4	6	5
7	2	5	8	6	4	1	3	9

205

5	1	3	7	6	4	8	9	2
6	8	4	5	2	9	7	1	3
7	2	9	8	1	3	6	5	4
2	4	7	6	9	1	3	8	5
8	9	5	2	3	7	4	6	1
3	6	1	4	8	5	2	7	9
1	5	6	3	7	2	9	4	8
4	3	8	9	5	6	1	2	7
9	7	2	1	4	8	5	3	6

206

4	8	3	7	1	2	9	6	5
6	2	1	4	9	5	3	8	7
5	7	9	8	3	6	4	2	1
1	3	5	9	6	4	2	7	8
9	6	8	2	7	1	5	4	3
2	4	7	3	5	8	6	1	9
7	5	2	1	4	3	8	9	6
3	9	4	6	8	7	1	5	2
8	1	6	5	2	9	7	3	4

207

7	8	2	4	9	3	5	1	6
9	4	5	1	6	7	8	2	3
3	1	6	8	5	2	4	7	9
4	9	1	2	8	6	3	5	7
8	2	7	5	3	9	1	6	4
5	6	3	7	4	1	9	8	2
2	7	8	9	1	4	6	3	5
1	3	9	6	7	5	2	4	8
6	5	4	3	2	8	7	9	1

208

5	3	8	6	7	9	2	4	1
9	6	1	8	2	4	5	3	7
2	4	7	1	3	5	6	9	8
1	8	5	2	6	3	4	7	9
6	7	4	9	5	1	8	2	3
3	9	2	4	8	7	1	6	5
4	1	3	5	9	2	7	8	6
8	2	9	7	1	6	3	5	4
7	5	6	3	4	8	9	1	2

209

6	9	8	4	7	3	1	2	5
3	2	7	9	1	5	4	6	8
4	1	5	8	6	2	3	9	7
2	5	6	7	9	1	8	4	3
1	8	9	3	4	6	5	7	2
7	4	3	5	2	8	9	1	6
5	6	1	2	3	4	7	8	9
8	7	4	6	5	9	2	3	1
9	3	2	1	8	7	6	5	4

210

1	7	8	3	4	5	2	6	9
4	3	9	2	6	8	5	7	1
6	5	2	1	7	9	4	3	8
2	4	6	9	1	7	3	8	5
5	8	1	6	3	4	9	2	7
7	9	3	5	8	2	1	4	6
9	6	7	4	2	1	8	5	3
3	1	4	8	5	6	7	9	2
8	2	5	7	9	3	6	1	4

211

6	8	4	5	3	2	7	1	9
7	1	3	6	4	9	2	5	8
5	9	2	1	8	7	6	3	4
2	3	7	4	9	8	1	6	5
8	5	9	2	6	1	3	4	7
1	4	6	3	7	5	8	9	2
4	7	8	9	1	6	5	2	3
9	6	5	8	2	3	4	7	1
3	2	1	7	5	4	9	8	6

212

7	8	5	3	4	1	9	6	2
2	4	1	9	5	6	8	7	3
6	9	3	2	8	7	5	4	1
4	7	9	8	6	3	2	1	5
1	2	6	7	9	5	4	3	8
3	5	8	4	1	2	6	9	7
8	6	7	1	2	9	3	5	4
9	1	2	5	3	4	7	8	6
5	3	4	6	7	8	1	2	9

213

8	6	7	9	3	2	1	5	4
1	9	4	8	7	5	6	3	2
2	3	5	6	4	1	9	8	7
6	7	2	5	9	8	3	4	1
4	1	3	2	6	7	8	9	5
9	5	8	3	1	4	2	7	6
3	2	1	4	5	9	7	6	8
5	8	6	7	2	3	4	1	9
7	4	9	1	8	6	5	2	3

214

6	9	4	8	7	1	2	3	5
3	1	2	6	9	5	8	7	4
7	8	5	4	2	3	6	9	1
2	7	1	9	5	8	3	4	6
8	3	9	1	4	6	5	2	7
4	5	6	2	3	7	9	1	8
5	2	7	3	6	4	1	8	9
1	4	3	5	8	9	7	6	2
9	6	8	7	1	2	4	5	3

215

4	6	2	8	1	5	9	7	3
7	9	3	2	6	4	5	8	1
8	5	1	3	7	9	2	4	6
2	3	9	6	5	8	7	1	4
5	1	8	4	9	7	3	6	2
6	7	4	1	3	2	8	9	5
3	2	6	9	8	1	4	5	7
9	4	5	7	2	6	1	3	8
1	8	7	5	4	3	6	2	9

216

3	7	8	1	2	9	5	4	6
5	9	4	7	6	8	3	2	1
6	2	1	4	3	5	7	8	9
7	1	3	9	8	4	2	6	5
2	4	9	6	5	1	8	3	7
8	5	6	3	7	2	1	9	4
9	3	5	8	4	7	6	1	2
1	6	2	5	9	3	4	7	8
4	8	7	2	1	6	9	5	3

217

3	6	2	4	1	7	8	5	9
9	5	4	6	8	2	7	3	1
1	7	8	5	3	9	4	2	6
2	3	7	9	5	8	1	6	4
8	9	6	2	4	1	5	7	3
4	1	5	3	7	6	2	9	8
5	2	3	8	6	4	9	1	7
6	4	1	7	9	5	3	8	2
7	8	9	1	2	3	6	4	5

218

9	3	1	6	7	2	4	8	5
4	8	6	9	3	5	1	7	2
5	2	7	4	1	8	6	9	3
8	7	2	3	4	1	9	5	6
6	1	5	7	2	9	8	3	4
3	4	9	5	8	6	2	1	7
7	6	4	1	9	3	5	2	8
1	5	8	2	6	7	3	4	9
2	9	3	8	5	4	7	6	1

219

7	1	2	4	3	5	8	9	6
9	3	4	1	6	8	7	2	5
8	6	5	7	9	2	1	4	3
3	2	6	5	8	4	9	1	7
4	7	9	3	1	6	2	5	8
1	5	8	9	2	7	6	3	4
5	9	3	6	7	1	4	8	2
2	4	7	8	5	9	3	6	1
6	8	1	2	4	3	5	7	9

220

9	7	1	5	8	4	3	6	2
2	6	5	7	3	9	1	8	4
4	3	8	1	6	2	7	9	5
5	2	9	8	4	3	6	1	7
3	1	7	9	5	6	2	4	8
8	4	6	2	7	1	5	3	9
7	8	4	6	1	5	9	2	3
6	9	3	4	2	7	8	5	1
1	5	2	3	9	8	4	7	6

221

9	5	1	7	3	8	6	2	4
3	4	8	6	9	2	5	1	7
7	6	2	4	1	5	3	9	8
5	8	9	2	6	7	4	3	1
4	1	7	9	5	3	2	8	6
2	3	6	1	8	4	7	5	9
6	2	3	8	4	9	1	7	5
8	7	4	5	2	1	9	6	3
1	9	5	3	7	6	8	4	2

222

9	5	7	4	1	2	6	3	8
4	1	6	8	3	5	9	7	2
2	3	8	6	7	9	4	5	1
8	2	3	7	9	4	5	1	6
5	9	4	2	6	1	7	8	3
7	6	1	3	5	8	2	9	4
6	8	9	5	4	3	1	2	7
1	7	2	9	8	6	3	4	5
3	4	5	1	2	7	8	6	9

223

4	8	1	7	3	6	2	5	9
2	3	6	9	4	5	1	7	8
9	5	7	2	8	1	4	3	6
3	7	8	4	5	2	6	9	1
5	1	2	8	6	9	3	4	7
6	4	9	3	1	7	8	2	5
1	6	4	5	7	3	9	8	2
7	2	3	1	9	8	5	6	4
8	9	5	6	2	4	7	1	3

224

5	7	6	9	2	3	8	1	4
9	3	2	1	8	4	7	6	5
4	8	1	6	7	5	3	2	9
2	4	7	3	9	6	1	5	8
1	6	3	2	5	8	9	4	7
8	5	9	4	1	7	2	3	6
6	1	8	7	4	2	5	9	3
3	9	5	8	6	1	4	7	2
7	2	4	5	3	9	6	8	1

225

2	4	8	7	6	1	5	3	9
9	1	3	5	4	2	6	8	7
5	7	6	3	8	9	1	2	4
3	9	2	6	5	4	8	7	1
7	8	5	2	1	3	4	9	6
4	6	1	8	9	7	2	5	3
6	3	7	1	2	8	9	4	5
1	2	4	9	7	5	3	6	8
8	5	9	4	3	6	7	1	2

226

8	9	2	6	3	7	4	5	1
1	6	7	8	5	4	9	2	3
5	4	3	9	1	2	8	6	7
9	1	5	4	7	6	3	8	2
4	2	6	1	8	3	5	7	9
3	7	8	2	9	5	6	1	4
7	8	9	3	6	1	2	4	5
6	5	4	7	2	9	1	3	8
2	3	1	5	4	8	7	9	6

227

8	5	9	3	7	4	2	1	6
4	1	6	2	9	8	5	3	7
7	2	3	5	1	6	9	8	4
1	7	4	6	2	9	8	5	3
3	8	2	7	5	1	6	4	9
6	9	5	4	8	3	1	7	2
5	3	8	9	4	2	7	6	1
2	6	1	8	3	7	4	9	5
9	4	7	1	6	5	3	2	8

228

4	3	7	2	1	9	8	5	6
2	8	5	6	7	4	1	9	3
1	6	9	8	3	5	2	4	7
7	1	4	5	9	2	6	3	8
6	5	2	1	8	3	9	7	4
8	9	3	4	6	7	5	1	2
9	4	8	7	5	6	3	2	1
3	2	6	9	4	1	7	8	5
5	7	1	3	2	8	4	6	9

229

3	4	7	9	1	6	8	5	2
6	8	9	2	7	5	3	4	1
1	5	2	4	8	3	9	6	7
2	1	8	5	3	7	6	9	4
9	3	5	6	2	4	1	7	8
4	7	6	8	9	1	2	3	5
5	6	1	3	4	8	7	2	9
7	9	3	1	5	2	4	8	6
8	2	4	7	6	9	5	1	3

230

8	7	6	5	3	4	2	1	9
3	4	1	2	9	6	7	8	5
9	5	2	1	8	7	3	6	4
7	9	5	3	2	8	1	4	6
6	8	3	4	1	9	5	7	2
1	2	4	7	6	5	8	9	3
2	6	8	9	7	3	4	5	1
4	3	7	6	5	1	9	2	8
5	1	9	8	4	2	6	3	7

231

4	6	7	1	5	3	2	9	8
1	2	3	9	6	8	7	5	4
8	5	9	2	4	7	1	6	3
5	7	2	8	1	6	3	4	9
9	8	4	3	7	2	6	1	5
3	1	6	4	9	5	8	2	7
6	9	1	7	8	4	5	3	2
2	4	8	5	3	1	9	7	6
7	3	5	6	2	9	4	8	1

232

5	8	4	1	3	9	2	7	6
6	7	1	2	4	8	5	9	3
2	9	3	7	5	6	4	8	1
8	1	7	9	2	5	6	3	4
9	6	2	3	8	4	7	1	5
4	3	5	6	1	7	8	2	9
1	4	6	8	7	3	9	5	2
7	2	9	5	6	1	3	4	8
3	5	8	4	9	2	1	6	7

233

3	8	7	2	6	5	4	9	1
5	1	2	9	8	4	6	7	3
9	6	4	1	3	7	5	2	8
6	7	1	8	4	9	2	3	5
2	4	9	3	5	1	7	8	6
8	5	3	7	2	6	9	1	4
7	9	5	6	1	8	3	4	2
4	3	8	5	7	2	1	6	9
1	2	6	4	9	3	8	5	7

234

8	1	6	9	5	4	3	7	2
9	5	2	7	8	3	6	1	4
3	7	4	1	6	2	9	8	5
2	6	8	4	3	9	1	5	7
7	4	3	5	1	8	2	6	9
5	9	1	2	7	6	8	4	3
1	8	5	3	2	7	4	9	6
6	2	9	8	4	5	7	3	1
4	3	7	6	9	1	5	2	8

235

4	6	5	3	7	1	2	9	8
3	7	9	8	2	4	1	6	5
8	1	2	5	6	9	7	4	3
1	9	8	2	4	6	3	5	7
2	5	6	7	1	3	9	8	4
7	3	4	9	8	5	6	1	2
6	4	7	1	5	2	8	3	9
9	2	1	4	3	8	5	7	6
5	8	3	6	9	7	4	2	1

236

1	7	8	6	9	5	3	4	2
9	2	4	1	3	7	5	6	8
3	6	5	4	8	2	7	9	1
2	9	1	5	4	3	6	8	7
8	5	3	7	6	9	2	1	4
6	4	7	8	2	1	9	5	3
5	1	2	9	7	8	4	3	6
4	3	9	2	1	6	8	7	5
7	8	6	3	5	4	1	2	9

237

7	3	2	6	5	4	1	8	9
8	4	9	3	1	2	7	6	5
1	5	6	8	9	7	3	4	2
9	1	7	2	6	8	4	5	3
2	8	4	5	7	3	9	1	6
3	6	5	1	4	9	2	7	8
5	7	1	9	2	6	8	3	4
6	9	8	4	3	1	5	2	7
4	2	3	7	8	5	6	9	1

238

8	5	7	3	6	9	4	1	2
1	3	6	2	4	8	5	7	9
9	4	2	7	5	1	6	8	3
3	8	4	5	2	7	9	6	1
2	7	5	1	9	6	3	4	8
6	1	9	4	8	3	2	5	7
4	9	8	6	7	2	1	3	5
5	2	3	8	1	4	7	9	6
7	6	1	9	3	5	8	2	4

239

2	6	8	5	1	7	4	3	9
3	5	1	4	9	2	7	8	6
9	4	7	6	8	3	5	1	2
5	7	4	8	6	9	1	2	3
6	1	2	3	7	5	9	4	8
8	3	9	2	4	1	6	7	5
1	8	6	9	3	4	2	5	7
7	2	3	1	5	6	8	9	4
4	9	5	7	2	8	3	6	1

240

3	2	5	4	8	6	1	7	9
7	8	9	2	1	5	4	3	6
4	6	1	3	9	7	8	2	5
1	7	3	9	5	4	6	8	2
2	9	6	8	3	1	7	5	4
8	5	4	6	7	2	3	9	1
5	3	7	1	6	9	2	4	8
9	1	2	7	4	8	5	6	3
6	4	8	5	2	3	9	1	7

✔

241

9	4	2	3	6	1	7	8	5
5	3	1	9	7	8	4	6	2
7	6	8	5	2	4	9	1	3
8	1	5	7	4	2	3	9	6
3	2	7	6	5	9	1	4	8
6	9	4	8	1	3	2	5	7
2	8	9	1	3	6	5	7	4
1	5	3	4	8	7	6	2	9
4	7	6	2	9	5	8	3	1

242

9	1	3	6	4	5	2	8	7
8	4	6	2	7	1	9	5	3
5	7	2	9	3	8	1	4	6
4	3	7	1	8	2	6	9	5
2	5	9	3	6	4	7	1	8
6	8	1	7	5	9	3	2	4
1	6	5	4	9	7	8	3	2
7	9	8	5	2	3	4	6	1
3	2	4	8	1	6	5	7	9

243

6	2	4	7	9	1	8	5	3
1	9	8	5	4	3	2	6	7
5	3	7	6	8	2	9	4	1
9	7	6	2	3	5	1	8	4
8	1	3	9	7	4	5	2	6
4	5	2	1	6	8	7	3	9
2	6	5	3	1	7	4	9	8
7	4	9	8	2	6	3	1	5
3	8	1	4	5	9	6	7	2

244

7	6	2	1	8	5	9	3	4
3	9	4	6	7	2	8	5	1
8	1	5	4	9	3	7	6	2
5	2	7	8	3	9	4	1	6
6	4	3	5	1	7	2	8	9
1	8	9	2	6	4	3	7	5
4	3	6	7	2	1	5	9	8
9	5	1	3	4	8	6	2	7
2	7	8	9	5	6	1	4	3

245

8	4	9	1	5	7	2	6	3
2	6	7	9	3	4	5	8	1
3	1	5	8	2	6	9	4	7
9	8	6	3	4	5	1	7	2
1	5	2	6	7	8	3	9	4
7	3	4	2	9	1	6	5	8
6	9	8	4	1	2	7	3	5
5	2	3	7	8	9	4	1	6
4	7	1	5	6	3	8	2	9

246

5	6	2	8	7	3	1	9	4
3	4	7	2	1	9	6	8	5
9	1	8	6	4	5	3	2	7
8	2	4	5	9	6	7	3	1
7	5	3	1	2	4	8	6	9
6	9	1	3	8	7	5	4	2
4	3	5	7	6	2	9	1	8
2	8	6	9	5	1	4	7	3
1	7	9	4	3	8	2	5	6

247

3	5	6	1	8	2	4	9	7
2	8	9	6	7	4	5	1	3
7	4	1	5	9	3	2	6	8
1	2	4	9	3	6	8	7	5
9	3	7	8	5	1	6	2	4
8	6	5	4	2	7	1	3	9
4	9	3	2	6	8	7	5	1
6	7	8	3	1	5	9	4	2
5	1	2	7	4	9	3	8	6

248

2	3	7	4	8	5	1	6	9
9	5	1	3	6	7	8	2	4
6	8	4	2	1	9	7	5	3
4	9	5	1	7	2	6	3	8
8	1	2	6	9	3	5	4	7
3	7	6	8	5	4	2	9	1
7	6	3	5	4	8	9	1	2
1	2	8	9	3	6	4	7	5
5	4	9	7	2	1	3	8	6

249

8	1	4	7	5	9	3	6	2
3	5	6	1	4	2	7	9	8
9	7	2	6	8	3	1	5	4
6	4	8	5	1	7	9	2	3
1	2	5	3	9	8	6	4	7
7	9	3	2	6	4	5	8	1
5	3	7	8	2	6	4	1	9
2	6	9	4	7	1	8	3	5
4	8	1	9	3	5	2	7	6

250

9	1	2	5	4	7	3	8	6
5	8	7	1	6	3	9	4	2
4	3	6	9	2	8	1	5	7
2	9	5	4	8	1	7	6	3
1	7	8	2	3	6	4	9	5
6	4	3	7	5	9	2	1	8
8	2	9	3	1	5	6	7	4
7	6	4	8	9	2	5	3	1
3	5	1	6	7	4	8	2	9

251

1	8	4	5	2	7	9	6	3
5	7	3	8	9	6	4	1	2
2	9	6	4	3	1	7	8	5
7	2	9	3	6	8	5	4	1
4	6	5	7	1	2	3	9	8
3	1	8	9	4	5	2	7	6
9	5	2	1	8	4	6	3	7
8	3	7	6	5	9	1	2	4
6	4	1	2	7	3	8	5	9

252

3	6	4	8	1	2	7	9	5
9	2	8	7	3	5	6	4	1
7	1	5	4	9	6	8	2	3
2	7	3	9	5	4	1	6	8
4	8	1	6	2	7	3	5	9
5	9	6	3	8	1	4	7	2
6	3	2	1	4	9	5	8	7
8	5	7	2	6	3	9	1	4
1	4	9	5	7	8	2	3	6

253

4	5	6	9	2	1	8	7	3
1	8	2	6	3	7	9	5	4
3	7	9	5	8	4	1	6	2
5	3	8	4	6	2	7	9	1
9	2	7	8	1	5	3	4	6
6	1	4	7	9	3	2	8	5
8	9	1	2	5	6	4	3	7
2	4	5	3	7	8	6	1	9
7	6	3	1	4	9	5	2	8

254

6	4	3	2	9	7	5	8	1
2	1	5	4	8	3	6	7	9
8	9	7	1	6	5	4	2	3
9	3	2	5	7	8	1	6	4
1	6	4	9	3	2	7	5	8
7	5	8	6	1	4	3	9	2
4	7	9	8	5	1	2	3	6
5	8	1	3	2	6	9	4	7
3	2	6	7	4	9	8	1	5

255

7	2	5	4	1	6	8	3	9
1	8	9	2	7	3	5	4	6
6	4	3	5	9	8	1	2	7
2	3	6	1	8	5	7	9	4
9	1	7	3	6	4	2	5	8
8	5	4	7	2	9	6	1	3
3	7	1	8	4	2	9	6	5
4	9	8	6	5	1	3	7	2
5	6	2	9	3	7	4	8	1

256

7	4	8	5	6	1	9	2	3
1	9	6	8	2	3	5	4	7
3	5	2	4	9	7	1	6	8
5	2	3	6	1	9	7	8	4
6	8	1	2	7	4	3	9	5
4	7	9	3	5	8	2	1	6
2	6	7	9	8	5	4	3	1
8	3	5	1	4	2	6	7	9
9	1	4	7	3	6	8	5	2

257

8	4	2	6	1	9	5	3	7
7	5	1	8	3	4	6	9	2
6	9	3	7	5	2	4	8	1
5	8	9	2	6	1	3	7	4
4	1	6	5	7	3	8	2	9
2	3	7	9	4	8	1	5	6
9	2	4	1	8	5	7	6	3
3	7	8	4	9	6	2	1	5
1	6	5	3	2	7	9	4	8

258

9	3	1	4	2	8	7	5	6
2	7	5	6	1	9	8	4	3
6	8	4	3	7	5	9	2	1
1	5	3	2	8	7	6	9	4
8	9	7	1	6	4	5	3	2
4	6	2	5	9	3	1	7	8
7	4	6	9	3	1	2	8	5
5	2	9	8	4	6	3	1	7
3	1	8	7	5	2	4	6	9

259

3	5	9	6	7	2	4	1	8
2	8	7	1	3	4	5	9	6
4	6	1	5	9	8	2	3	7
9	1	3	8	6	5	7	4	2
5	4	6	7	2	1	9	8	3
8	7	2	9	4	3	1	6	5
6	9	5	4	8	7	3	2	1
7	3	8	2	1	9	6	5	4
1	2	4	3	5	6	8	7	9

260

8	3	4	5	2	7	9	6	1
9	2	6	1	4	8	3	5	7
1	5	7	9	6	3	4	8	2
6	4	8	3	7	1	2	9	5
2	1	5	8	9	6	7	4	3
7	9	3	2	5	4	8	1	6
3	7	9	4	1	5	6	2	8
5	8	2	6	3	9	1	7	4
4	6	1	7	8	2	5	3	9

261

4	1	5	8	7	9	2	3	6
6	2	7	4	5	3	1	9	8
9	8	3	1	6	2	5	4	7
1	6	4	3	9	7	8	2	5
8	7	9	2	1	5	4	6	3
3	5	2	6	8	4	7	1	9
5	9	1	7	4	6	3	8	2
2	4	6	5	3	8	9	7	1
7	3	8	9	2	1	6	5	4

262

3	6	2	7	8	5	1	4	9
8	4	7	9	1	2	5	3	6
5	1	9	3	6	4	7	2	8
7	2	8	4	3	9	6	1	5
4	5	1	8	2	6	9	7	3
6	9	3	5	7	1	4	8	2
2	8	5	6	4	7	3	9	1
9	3	4	1	5	8	2	6	7
1	7	6	2	9	3	8	5	4

263

7	1	6	3	9	4	2	5	8
3	2	5	8	1	7	6	4	9
4	8	9	5	2	6	3	7	1
6	7	3	9	5	8	4	1	2
1	5	4	2	7	3	8	9	6
8	9	2	4	6	1	7	3	5
9	6	7	1	3	2	5	8	4
5	3	8	6	4	9	1	2	7
2	4	1	7	8	5	9	6	3

264

4	9	6	5	2	7	1	3	8
3	5	1	9	6	8	7	2	4
8	2	7	3	4	1	5	9	6
6	3	5	8	7	2	9	4	1
2	4	8	1	5	9	3	6	7
7	1	9	6	3	4	8	5	2
9	7	2	4	8	5	6	1	3
1	8	3	2	9	6	4	7	5
5	6	4	7	1	3	2	8	9

265

5	9	2	6	4	7	1	8	3
3	8	6	1	9	5	4	7	2
7	1	4	3	8	2	5	6	9
1	4	8	7	2	3	6	9	5
9	3	5	4	6	8	2	1	7
6	2	7	5	1	9	8	3	4
4	5	1	9	3	6	7	2	8
8	6	3	2	7	4	9	5	1
2	7	9	8	5	1	3	4	6

266

9	5	7	3	4	6	1	8	2
2	4	6	1	8	7	9	3	5
8	1	3	2	5	9	4	7	6
1	6	9	5	3	2	7	4	8
5	3	4	8	7	1	6	2	9
7	8	2	9	6	4	3	5	1
3	9	1	7	2	8	5	6	4
4	7	8	6	9	5	2	1	3
6	2	5	4	1	3	8	9	7

267

6	7	2	8	5	3	9	1	4
8	9	4	2	6	1	3	5	7
3	1	5	7	9	4	2	8	6
1	6	3	4	7	9	5	2	8
7	2	8	3	1	5	4	6	9
5	4	9	6	2	8	1	7	3
4	5	6	9	8	2	7	3	1
2	3	7	1	4	6	8	9	5
9	8	1	5	3	7	6	4	2

268

9	4	8	2	7	1	3	6	5
1	6	2	3	9	5	4	7	8
7	3	5	8	4	6	1	2	9
8	2	1	5	3	9	7	4	6
3	5	7	4	6	8	9	1	2
6	9	4	1	2	7	8	5	3
5	8	6	7	1	3	2	9	4
2	1	9	6	8	4	5	3	7
4	7	3	9	5	2	6	8	1

269

1	5	8	2	7	3	4	9	6
3	7	6	4	9	1	8	2	5
9	2	4	5	6	8	1	7	3
4	1	7	9	2	6	5	3	8
2	8	5	3	4	7	6	1	9
6	9	3	8	1	5	7	4	2
8	4	9	7	5	2	3	6	1
5	6	2	1	3	4	9	8	7
7	3	1	6	8	9	2	5	4

270

7	6	2	5	4	3	8	9	1
5	9	3	8	7	1	2	4	6
8	1	4	6	9	2	5	7	3
2	3	8	4	1	5	7	6	9
1	7	6	9	3	8	4	5	2
4	5	9	7	2	6	1	3	8
9	2	1	3	5	4	6	8	7
3	8	5	1	6	7	9	2	4
6	4	7	2	8	9	3	1	5

271

5	1	3	8	7	9	4	6	2
2	7	4	1	6	5	3	9	8
6	8	9	3	4	2	7	1	5
3	5	1	7	2	4	6	8	9
8	6	7	9	5	3	1	2	4
4	9	2	6	1	8	5	7	3
1	2	8	4	3	6	9	5	7
7	3	5	2	9	1	8	4	6
9	4	6	5	8	7	2	3	1

272

7	3	6	2	5	4	9	1	8
2	5	1	9	8	6	4	3	7
8	9	4	7	3	1	6	2	5
1	4	5	6	7	2	3	8	9
9	6	7	3	4	8	2	5	1
3	2	8	1	9	5	7	4	6
6	1	3	8	2	7	5	9	4
5	7	9	4	1	3	8	6	2
4	8	2	5	6	9	1	7	3

273

7	4	5	8	2	9	1	6	3
1	9	8	6	5	3	4	7	2
3	2	6	7	1	4	8	9	5
6	1	2	9	7	8	3	5	4
4	5	3	1	6	2	7	8	9
9	8	7	3	4	5	2	1	6
8	6	9	2	3	1	5	4	7
5	3	1	4	9	7	6	2	8
2	7	4	5	8	6	9	3	1

274

5	1	2	4	9	6	7	3	8
3	9	4	5	8	7	2	1	6
6	8	7	3	2	1	4	9	5
9	4	8	7	3	2	6	5	1
7	6	3	1	5	9	8	2	4
2	5	1	6	4	8	9	7	3
1	3	6	9	7	4	5	8	2
8	7	5	2	6	3	1	4	9
4	2	9	8	1	5	3	6	7

275

4	1	9	5	8	2	7	6	3
3	8	7	1	4	6	5	2	9
6	5	2	9	3	7	4	1	8
8	9	6	4	7	3	2	5	1
1	7	4	8	2	5	3	9	6
5	2	3	6	9	1	8	7	4
2	4	1	3	5	9	6	8	7
7	6	8	2	1	4	9	3	5
9	3	5	7	6	8	1	4	2

276

4	3	2	5	1	8	7	6	9
6	9	5	3	7	4	8	2	1
7	8	1	6	9	2	4	3	5
2	4	7	8	3	5	1	9	6
3	6	8	1	2	9	5	4	7
1	5	9	7	4	6	3	8	2
9	2	3	4	5	7	6	1	8
5	1	6	2	8	3	9	7	4
8	7	4	9	6	1	2	5	3

277

1	7	5	4	8	2	3	9	6
8	2	9	1	3	6	7	5	4
6	4	3	5	7	9	8	1	2
3	8	2	6	1	7	9	4	5
9	6	4	3	2	5	1	7	8
5	1	7	9	4	8	2	6	3
4	9	8	7	6	3	5	2	1
2	5	6	8	9	1	4	3	7
7	3	1	2	5	4	6	8	9

278

1	9	6	3	4	2	7	5	8
7	4	2	8	5	9	3	6	1
5	8	3	1	7	6	9	2	4
2	1	9	4	8	7	5	3	6
4	7	8	5	6	3	2	1	9
6	3	5	9	2	1	4	8	7
8	6	4	2	9	5	1	7	3
3	2	7	6	1	4	8	9	5
9	5	1	7	3	8	6	4	2

279

6	8	9	1	5	4	3	7	2
2	1	3	7	6	8	9	5	4
4	5	7	9	2	3	8	6	1
7	9	1	2	3	6	5	4	8
3	2	8	5	4	7	1	9	6
5	4	6	8	1	9	7	2	3
1	7	4	6	8	5	2	3	9
8	3	5	4	9	2	6	1	7
9	6	2	3	7	1	4	8	5

280

7	1	2	5	3	6	8	9	4
3	5	9	7	4	8	1	6	2
8	4	6	9	1	2	7	5	3
1	8	5	2	6	3	9	4	7
2	9	4	8	7	5	6	3	1
6	7	3	4	9	1	2	8	5
9	2	8	3	5	7	4	1	6
5	6	7	1	8	4	3	2	9
4	3	1	6	2	9	5	7	8

281

1	5	8	4	7	2	9	6	3
9	2	4	3	6	5	7	1	8
6	3	7	8	9	1	5	4	2
8	1	5	6	2	9	3	7	4
7	4	9	1	5	3	8	2	6
3	6	2	7	8	4	1	9	5
2	7	6	9	3	8	4	5	1
5	8	1	2	4	7	6	3	9
4	9	3	5	1	6	2	8	7

282

8	6	2	9	1	5	4	7	3
7	5	4	3	6	2	9	1	8
1	9	3	8	7	4	6	5	2
9	3	8	5	2	7	1	4	6
6	2	7	4	8	1	5	3	9
5	4	1	6	9	3	8	2	7
4	1	9	2	3	6	7	8	5
2	7	6	1	5	8	3	9	4
3	8	5	7	4	9	2	6	1

283

7	5	3	4	9	2	8	6	1
9	4	8	6	3	1	7	5	2
1	6	2	8	7	5	4	3	9
3	1	6	7	5	4	9	2	8
5	8	9	1	2	6	3	7	4
4	2	7	9	8	3	5	1	6
6	7	5	2	4	8	1	9	3
8	9	1	3	6	7	2	4	5
2	3	4	5	1	9	6	8	7

284

5	8	7	3	9	2	1	6	4
4	6	2	8	7	1	3	9	5
1	3	9	4	5	6	7	8	2
9	5	3	2	8	7	4	1	6
6	7	4	5	1	3	9	2	8
2	1	8	9	6	4	5	3	7
7	9	1	6	4	8	2	5	3
3	4	6	1	2	5	8	7	9
8	2	5	7	3	9	6	4	1

285

6	8	4	3	1	2	9	5	7
7	5	1	9	8	4	3	6	2
3	9	2	5	6	7	8	1	4
1	3	7	2	5	9	4	8	6
8	4	6	7	3	1	2	9	5
9	2	5	8	4	6	7	3	1
2	6	8	4	9	5	1	7	3
5	7	3	1	2	8	6	4	9
4	1	9	6	7	3	5	2	8

286

7	1	5	6	2	9	4	3	8
8	6	9	1	4	3	5	2	7
4	3	2	7	8	5	6	9	1
9	5	6	8	7	2	1	4	3
3	4	8	5	1	6	2	7	9
1	2	7	9	3	4	8	6	5
5	7	4	2	9	1	3	8	6
2	8	1	3	6	7	9	5	4
6	9	3	4	5	8	7	1	2

287

4	2	6	7	3	9	5	8	1
1	3	7	5	8	2	9	4	6
9	8	5	6	4	1	2	7	3
7	6	8	4	2	3	1	5	9
2	5	9	1	7	8	3	6	4
3	1	4	9	5	6	8	2	7
5	4	3	2	9	7	6	1	8
8	7	1	3	6	5	4	9	2
6	9	2	8	1	4	7	3	5

288

7	9	3	1	5	4	2	8	6
8	1	6	3	9	2	5	4	7
2	4	5	8	6	7	3	9	1
1	5	2	9	4	6	7	3	8
9	3	8	5	7	1	6	2	4
6	7	4	2	8	3	1	5	9
5	6	1	4	2	9	8	7	3
4	8	7	6	3	5	9	1	2
3	2	9	7	1	8	4	6	5

289

1	7	8	4	3	6	9	2	5
2	3	5	7	9	1	8	4	6
4	6	9	2	5	8	7	3	1
3	8	1	5	4	2	6	7	9
6	4	7	3	1	9	5	8	2
5	9	2	8	6	7	4	1	3
7	1	4	6	2	5	3	9	8
8	2	6	9	7	3	1	5	4
9	5	3	1	8	4	2	6	7

290

3	8	9	6	1	7	4	5	2
7	2	4	3	5	8	6	9	1
1	5	6	2	9	4	8	3	7
8	6	3	4	2	5	1	7	9
5	7	2	9	8	1	3	4	6
4	9	1	7	6	3	5	2	8
2	3	8	5	7	6	9	1	4
6	4	7	1	3	9	2	8	5
9	1	5	8	4	2	7	6	3

291

6	1	9	8	5	7	3	4	2
8	5	4	3	2	1	9	7	6
3	7	2	4	6	9	5	8	1
1	8	3	7	9	5	6	2	4
5	4	7	6	8	2	1	9	3
9	2	6	1	3	4	7	5	8
2	6	5	9	1	8	4	3	7
4	9	1	2	7	3	8	6	5
7	3	8	5	4	6	2	1	9

292

6	8	5	7	1	2	3	9	4
1	7	9	4	5	3	6	8	2
3	4	2	8	9	6	5	1	7
5	1	8	3	4	9	7	2	6
2	3	6	1	8	7	4	5	9
4	9	7	6	2	5	1	3	8
9	2	4	5	6	1	8	7	3
7	6	1	9	3	8	2	4	5
8	5	3	2	7	4	9	6	1

293

6	5	4	8	3	9	2	7	1
8	9	7	1	4	2	3	6	5
3	2	1	7	5	6	4	9	8
5	7	8	9	2	1	6	3	4
1	6	3	5	7	4	9	8	2
9	4	2	3	6	8	1	5	7
4	8	9	6	1	5	7	2	3
7	1	6	2	8	3	5	4	9
2	3	5	4	9	7	8	1	6

294

4	1	9	7	6	8	5	2	3
7	3	5	4	9	2	1	6	8
8	6	2	3	5	1	7	4	9
6	5	1	9	8	7	2	3	4
2	9	7	6	3	4	8	1	5
3	8	4	1	2	5	9	7	6
1	7	3	5	4	9	6	8	2
5	2	6	8	1	3	4	9	7
9	4	8	2	7	6	3	5	1

295

6	9	5	7	1	8	2	3	4
2	7	8	3	4	5	9	6	1
3	1	4	9	6	2	7	8	5
8	4	1	5	2	6	3	9	7
5	2	9	8	3	7	4	1	6
7	6	3	1	9	4	8	5	2
4	5	7	6	8	3	1	2	9
1	8	6	2	7	9	5	4	3
9	3	2	4	5	1	6	7	8

296

4	5	9	3	7	6	8	1	2
8	1	6	4	2	5	7	9	3
2	3	7	9	1	8	4	6	5
7	2	4	8	5	1	6	3	9
5	8	3	6	4	9	2	7	1
6	9	1	7	3	2	5	4	8
1	7	5	2	9	4	3	8	6
9	4	8	5	6	3	1	2	7
3	6	2	1	8	7	9	5	4

297

3	1	4	2	8	7	9	6	5
9	5	7	6	4	3	1	8	2
6	8	2	9	1	5	3	7	4
4	6	3	5	7	1	8	2	9
8	2	1	3	6	9	4	5	7
5	7	9	8	2	4	6	1	3
1	9	5	7	3	6	2	4	8
2	3	6	4	5	8	7	9	1
7	4	8	1	9	2	5	3	6

298

7	3	2	6	9	1	4	5	8
1	8	4	5	3	2	9	7	6
6	5	9	4	7	8	3	1	2
5	4	7	3	2	6	8	9	1
8	6	3	9	1	7	5	2	4
9	2	1	8	5	4	7	6	3
4	7	6	1	8	5	2	3	9
2	9	8	7	6	3	1	4	5
3	1	5	2	4	9	6	8	7

299

8	1	4	5	2	7	9	6	3
9	7	2	6	3	8	1	4	5
3	5	6	4	9	1	8	2	7
7	2	1	8	5	9	4	3	6
5	4	9	3	6	2	7	1	8
6	3	8	1	7	4	2	5	9
4	8	3	9	1	5	6	7	2
2	9	5	7	4	6	3	8	1
1	6	7	2	8	3	5	9	4

300

2	7	8	5	9	6	3	1	4
3	5	4	1	2	8	7	9	6
1	6	9	4	7	3	2	5	8
6	1	7	3	8	2	9	4	5
9	8	2	6	4	5	1	7	3
4	3	5	9	1	7	8	6	2
8	9	1	2	6	4	5	3	7
5	2	6	7	3	1	4	8	9
7	4	3	8	5	9	6	2	1

301

9	8	1	2	3	5	4	6	7
6	2	5	1	7	4	9	8	3
3	7	4	9	8	6	2	1	5
2	9	3	8	5	7	1	4	6
4	1	7	6	9	2	5	3	8
5	6	8	4	1	3	7	9	2
1	3	2	5	4	8	6	7	9
7	4	6	3	2	9	8	5	1
8	5	9	7	6	1	3	2	4

302

5	9	1	6	2	4	8	3	7
6	3	2	7	9	8	1	5	4
4	7	8	5	1	3	9	6	2
7	6	9	4	3	1	2	8	5
3	8	5	2	6	9	7	4	1
2	1	4	8	5	7	3	9	6
1	2	3	9	4	5	6	7	8
9	5	7	1	8	6	4	2	3
8	4	6	3	7	2	5	1	9

303

6	3	9	7	4	5	1	8	2
2	5	7	8	3	1	4	6	9
8	1	4	2	6	9	3	5	7
9	2	6	5	1	4	8	7	3
4	8	5	6	7	3	9	2	1
3	7	1	9	8	2	6	4	5
5	9	3	4	2	6	7	1	8
1	6	8	3	5	7	2	9	4
7	4	2	1	9	8	5	3	6

304

6	3	8	9	7	4	5	1	2
7	4	5	2	1	3	9	8	6
2	1	9	6	8	5	3	7	4
1	7	6	3	5	8	2	4	9
9	5	3	7	4	2	1	6	8
8	2	4	1	6	9	7	3	5
4	8	7	5	2	1	6	9	3
3	6	2	4	9	7	8	5	1
5	9	1	8	3	6	4	2	7

305

3	7	9	2	8	5	1	4	6
1	8	5	4	6	9	7	3	2
4	6	2	7	3	1	8	9	5
6	4	1	3	9	2	5	7	8
9	2	8	1	5	7	3	6	4
5	3	7	8	4	6	9	2	1
2	9	3	5	1	4	6	8	7
8	1	4	6	7	3	2	5	9
7	5	6	9	2	8	4	1	3

306

1	4	6	3	5	2	8	7	9
3	7	2	9	8	4	6	1	5
9	8	5	6	1	7	4	2	3
6	1	4	2	9	8	5	3	7
2	3	8	1	7	5	9	6	4
7	5	9	4	3	6	2	8	1
4	9	7	8	2	1	3	5	6
8	6	1	5	4	3	7	9	2
5	2	3	7	6	9	1	4	8

307

6	2	5	3	1	7	9	4	8
4	3	8	5	2	9	1	7	6
9	7	1	4	6	8	5	3	2
8	4	3	2	5	6	7	9	1
5	6	7	8	9	1	4	2	3
1	9	2	7	4	3	6	8	5
2	5	6	9	8	4	3	1	7
3	8	4	1	7	5	2	6	9
7	1	9	6	3	2	8	5	4

308

6	9	2	5	8	7	1	3	4
1	7	4	3	2	6	5	9	8
3	5	8	9	1	4	7	6	2
8	6	3	7	9	5	4	2	1
5	2	1	8	4	3	9	7	6
9	4	7	1	6	2	3	8	5
4	3	9	2	5	8	6	1	7
2	1	5	6	7	9	8	4	3
7	8	6	4	3	1	2	5	9

309

3	8	5	9	7	4	1	6	2
6	9	7	2	1	5	3	8	4
1	2	4	6	3	8	9	5	7
4	6	1	8	2	7	5	9	3
8	7	2	3	5	9	6	4	1
9	5	3	1	4	6	2	7	8
5	1	8	7	6	3	4	2	9
2	4	9	5	8	1	7	3	6
7	3	6	4	9	2	8	1	5

310

5	2	9	4	6	7	1	8	3
3	8	7	1	2	5	9	4	6
1	4	6	8	3	9	2	5	7
9	6	4	7	1	3	5	2	8
7	3	5	2	8	4	6	1	9
8	1	2	9	5	6	7	3	4
4	7	3	5	9	1	8	6	2
2	9	1	6	4	8	3	7	5
6	5	8	3	7	2	4	9	1

311

1	3	4	5	8	2	6	9	7
8	9	2	7	6	1	4	5	3
6	7	5	3	4	9	2	1	8
2	5	6	8	9	3	7	4	1
9	4	3	1	5	7	8	2	6
7	1	8	6	2	4	5	3	9
5	8	9	2	3	6	1	7	4
4	6	1	9	7	5	3	8	2
3	2	7	4	1	8	9	6	5

312

5	2	1	7	6	4	3	9	8
3	9	8	2	5	1	4	7	6
6	7	4	9	3	8	5	1	2
2	4	3	6	1	7	9	8	5
7	6	9	8	4	5	1	2	3
1	8	5	3	9	2	7	6	4
8	1	7	4	2	3	6	5	9
9	3	2	5	7	6	8	4	1
4	5	6	1	8	9	2	3	7

313

2	7	6	3	5	9	8	1	4
3	9	5	1	8	4	2	6	7
8	1	4	2	6	7	5	3	9
5	4	7	8	3	2	6	9	1
1	3	9	6	4	5	7	2	8
6	2	8	9	7	1	3	4	5
7	8	1	4	2	6	9	5	3
9	5	2	7	1	3	4	8	6
4	6	3	5	9	8	1	7	2

314

2	9	8	6	7	1	5	4	3
5	4	1	3	9	2	6	8	7
7	6	3	5	4	8	1	2	9
4	1	5	2	8	7	3	9	6
6	7	2	4	3	9	8	1	5
3	8	9	1	6	5	2	7	4
9	3	7	8	1	6	4	5	2
8	2	4	7	5	3	9	6	1
1	5	6	9	2	4	7	3	8

315

5	7	9	8	2	3	6	4	1
8	3	6	7	1	4	5	2	9
4	2	1	5	9	6	3	7	8
1	5	3	4	8	9	7	6	2
6	8	4	2	7	5	1	9	3
7	9	2	3	6	1	8	5	4
3	1	7	9	5	2	4	8	6
2	6	5	1	4	8	9	3	7
9	4	8	6	3	7	2	1	5

316

6	1	9	5	7	8	4	3	2
7	3	5	4	1	2	6	8	9
4	2	8	6	3	9	1	7	5
9	6	2	7	4	3	5	1	8
8	7	3	9	5	1	2	4	6
1	5	4	8	2	6	7	9	3
5	8	1	3	6	4	9	2	7
2	9	7	1	8	5	3	6	4
3	4	6	2	9	7	8	5	1

317

4	2	6	9	5	8	3	1	7
8	3	9	1	2	7	6	4	5
1	5	7	6	4	3	2	8	9
6	9	3	2	1	5	4	7	8
5	8	4	3	7	9	1	6	2
7	1	2	4	8	6	5	9	3
2	7	1	5	9	4	8	3	6
3	4	8	7	6	2	9	5	1
9	6	5	8	3	1	7	2	4

318

4	5	3	9	2	8	7	6	1
8	9	7	1	6	3	2	4	5
2	1	6	5	4	7	9	8	3
9	4	1	8	5	2	3	7	6
7	3	8	6	9	4	1	5	2
5	6	2	3	7	1	4	9	8
6	2	5	7	1	9	8	3	4
3	7	4	2	8	6	5	1	9
1	8	9	4	3	5	6	2	7

319

3	7	9	1	4	5	6	2	8
8	2	1	3	9	6	7	4	5
5	6	4	8	2	7	9	1	3
1	5	2	4	8	9	3	7	6
4	8	6	7	1	3	2	5	9
7	9	3	5	6	2	1	8	4
2	3	7	9	5	8	4	6	1
6	4	8	2	3	1	5	9	7
9	1	5	6	7	4	8	3	2

320

8	6	2	3	5	9	1	7	4
9	1	5	6	7	4	8	3	2
3	7	4	2	8	1	9	6	5
7	4	9	1	3	8	5	2	6
6	5	1	7	4	2	3	8	9
2	3	8	9	6	5	7	4	1
1	8	6	5	2	3	4	9	7
4	9	7	8	1	6	2	5	3
5	2	3	4	9	7	6	1	8

321

3	6	2	9	5	8	7	1	4
8	4	7	2	1	6	5	9	3
5	9	1	7	4	3	6	8	2
7	3	6	8	9	1	4	2	5
1	2	4	5	6	7	8	3	9
9	8	5	3	2	4	1	6	7
2	7	8	1	3	5	9	4	6
6	1	3	4	7	9	2	5	8
4	5	9	6	8	2	3	7	1

322

7	9	1	3	8	4	6	5	2
5	6	4	1	2	7	3	8	9
8	2	3	6	5	9	4	7	1
6	8	7	9	3	5	2	1	4
4	3	5	2	7	1	9	6	8
2	1	9	4	6	8	5	3	7
3	4	2	8	1	6	7	9	5
9	7	8	5	4	3	1	2	6
1	5	6	7	9	2	8	4	3

323

9	8	6	1	2	3	7	5	4
1	7	2	5	9	4	3	8	6
3	5	4	8	7	6	1	2	9
2	3	7	9	4	8	6	1	5
5	4	9	6	3	1	8	7	2
6	1	8	2	5	7	4	9	3
4	2	1	7	6	5	9	3	8
7	6	5	3	8	9	2	4	1
8	9	3	4	1	2	5	6	7

324

9	1	3	6	4	2	8	5	7
2	8	6	5	9	7	3	4	1
4	5	7	1	3	8	6	9	2
1	3	2	9	8	5	7	6	4
7	6	9	4	1	3	2	8	5
8	4	5	2	7	6	9	1	3
6	2	1	7	5	9	4	3	8
3	7	4	8	6	1	5	2	9
5	9	8	3	2	4	1	7	6

325

7	9	1	6	8	3	4	2	5
3	2	6	1	5	4	8	7	9
4	5	8	7	9	2	3	6	1
6	3	2	5	7	9	1	4	8
1	8	4	2	3	6	9	5	7
9	7	5	8	4	1	2	3	6
8	4	7	3	1	5	6	9	2
2	1	3	9	6	7	5	8	4
5	6	9	4	2	8	7	1	3

326

3	1	2	9	5	7	4	8	6
9	8	6	1	4	2	7	5	3
7	4	5	3	8	6	2	1	9
8	5	4	6	2	1	9	3	7
2	7	1	8	9	3	6	4	5
6	3	9	5	7	4	8	2	1
5	6	8	2	1	9	3	7	4
4	2	3	7	6	5	1	9	8
1	9	7	4	3	8	5	6	2

327

3	8	2	6	5	9	1	7	4
7	6	1	3	4	2	9	5	8
9	4	5	7	8	1	6	3	2
6	2	4	1	3	7	8	9	5
1	9	7	5	2	8	4	6	3
5	3	8	9	6	4	2	1	7
4	5	6	8	9	3	7	2	1
2	7	9	4	1	5	3	8	6
8	1	3	2	7	6	5	4	9

328

5	2	6	3	4	9	8	7	1
9	7	3	8	1	2	4	5	6
1	8	4	5	7	6	3	2	9
3	4	7	9	5	1	6	8	2
6	1	2	7	8	3	5	9	4
8	5	9	6	2	4	1	3	7
2	6	5	1	3	7	9	4	8
7	3	1	4	9	8	2	6	5
4	9	8	2	6	5	7	1	3

329

1	5	2	8	9	4	3	6	7
9	7	6	3	2	5	8	4	1
8	4	3	7	1	6	2	9	5
7	2	1	4	3	9	5	8	6
6	9	8	1	5	2	4	7	3
4	3	5	6	8	7	9	1	2
3	6	7	5	4	8	1	2	9
5	8	9	2	6	1	7	3	4
2	1	4	9	7	3	6	5	8

330

4	5	8	7	6	2	1	9	3
7	1	2	3	9	5	6	8	4
9	3	6	4	8	1	5	2	7
5	2	4	8	3	6	9	7	1
1	8	9	2	4	7	3	5	6
6	7	3	1	5	9	2	4	8
3	4	5	9	1	8	7	6	2
2	9	1	6	7	4	8	3	5
8	6	7	5	2	3	4	1	9

331

9	7	4	8	2	3	6	5	1
5	6	2	1	7	9	4	8	3
8	1	3	4	6	5	9	2	7
7	4	5	9	3	2	8	1	6
1	9	6	5	8	4	7	3	2
3	2	8	7	1	6	5	4	9
4	8	1	3	9	7	2	6	5
6	5	9	2	4	1	3	7	8
2	3	7	6	5	8	1	9	4

332

7	2	6	3	5	1	4	8	9
9	5	3	8	4	2	1	7	6
4	8	1	7	9	6	5	3	2
3	6	4	1	7	9	2	5	8
8	7	9	5	2	3	6	4	1
2	1	5	4	6	8	3	9	7
5	4	2	9	1	7	8	6	3
1	3	7	6	8	5	9	2	4
6	9	8	2	3	4	7	1	5

333

5	3	4	6	8	2	9	1	7
2	9	8	1	7	3	5	4	6
6	1	7	4	9	5	2	3	8
4	2	3	8	6	9	7	5	1
1	7	6	5	3	4	8	2	9
8	5	9	7	2	1	3	6	4
3	4	1	9	5	8	6	7	2
7	8	5	2	1	6	4	9	3
9	6	2	3	4	7	1	8	5

334

5	1	6	8	2	4	9	7	3
2	3	8	1	9	7	4	6	5
4	7	9	6	5	3	1	2	8
6	4	7	5	3	8	2	9	1
8	9	1	4	6	2	5	3	7
3	2	5	7	1	9	8	4	6
7	8	3	2	4	5	6	1	9
1	5	2	9	7	6	3	8	4
9	6	4	3	8	1	7	5	2

335

7	4	9	2	5	6	1	8	3
3	2	6	1	7	8	5	9	4
1	5	8	4	9	3	6	7	2
4	1	5	3	2	9	7	6	8
8	7	3	6	4	5	2	1	9
9	6	2	8	1	7	4	3	5
6	3	4	7	8	2	9	5	1
2	9	7	5	3	1	8	4	6
5	8	1	9	6	4	3	2	7

336

3	5	6	2	1	9	8	4	7
7	1	9	5	8	4	6	3	2
4	2	8	7	3	6	1	5	9
2	4	3	6	7	1	9	8	5
6	9	5	4	2	8	3	7	1
8	7	1	3	9	5	2	6	4
9	6	7	1	4	3	5	2	8
1	3	2	8	5	7	4	9	6
5	8	4	9	6	2	7	1	3

337

7	4	8	2	6	9	1	3	5
1	9	2	3	5	7	6	8	4
5	6	3	1	8	4	7	2	9
9	2	1	4	3	8	5	6	7
8	7	6	5	1	2	4	9	3
3	5	4	9	7	6	8	1	2
4	1	5	6	2	3	9	7	8
2	8	9	7	4	1	3	5	6
6	3	7	8	9	5	2	4	1

338

5	4	8	3	7	2	6	9	1
7	9	3	6	1	5	2	8	4
2	6	1	8	9	4	3	7	5
1	8	7	2	4	6	5	3	9
3	2	9	7	5	1	8	4	6
6	5	4	9	8	3	7	1	2
4	1	2	5	3	7	9	6	8
9	7	5	1	6	8	4	2	3
8	3	6	4	2	9	1	5	7

339

8	9	7	3	5	1	4	2	6
3	1	2	6	4	8	9	5	7
5	6	4	2	7	9	8	3	1
7	8	6	4	1	3	5	9	2
4	5	1	7	9	2	3	6	8
2	3	9	5	8	6	7	1	4
1	4	3	9	2	7	6	8	5
9	7	8	1	6	5	2	4	3
6	2	5	8	3	4	1	7	9

340

3	1	2	5	8	7	4	6	9
7	5	6	3	4	9	2	1	8
9	4	8	2	6	1	3	5	7
1	6	5	4	2	8	9	7	3
8	7	9	1	3	6	5	4	2
2	3	4	7	9	5	1	8	6
5	2	1	8	7	3	6	9	4
6	8	3	9	1	4	7	2	5
4	9	7	6	5	2	8	3	1

✔

341

6	5	2	9	1	3	8	4	7
4	1	9	8	7	6	3	2	5
7	8	3	5	2	4	6	9	1
9	4	5	7	6	8	1	3	2
2	6	7	1	3	5	9	8	4
8	3	1	4	9	2	7	5	6
3	9	6	2	4	7	5	1	8
1	2	8	6	5	9	4	7	3
5	7	4	3	8	1	2	6	9

342

5	3	7	2	4	1	9	8	6
1	6	9	8	7	5	4	3	2
4	2	8	9	6	3	5	7	1
8	7	2	1	9	4	3	6	5
9	4	5	3	2	6	7	1	8
6	1	3	7	5	8	2	4	9
7	5	1	4	8	2	6	9	3
3	9	6	5	1	7	8	2	4
2	8	4	6	3	9	1	5	7

343

2	8	9	3	6	4	7	5	1
5	3	6	7	1	8	9	4	2
1	4	7	2	9	5	3	6	8
3	2	1	6	7	9	4	8	5
9	6	8	4	5	1	2	3	7
4	7	5	8	2	3	1	9	6
6	1	3	5	4	7	8	2	9
8	9	2	1	3	6	5	7	4
7	5	4	9	8	2	6	1	3

344

2	3	1	5	6	4	9	7	8
5	4	9	8	7	2	1	3	6
6	7	8	3	1	9	4	5	2
8	1	6	7	9	3	5	2	4
3	5	2	6	4	8	7	9	1
4	9	7	2	5	1	8	6	3
9	8	5	4	2	6	3	1	7
1	2	3	9	8	7	6	4	5
7	6	4	1	3	5	2	8	9

345

5	4	7	6	8	9	3	1	2
1	6	9	7	3	2	4	5	8
3	8	2	5	4	1	7	6	9
7	2	4	9	5	6	8	3	1
6	3	5	2	1	8	9	7	4
8	9	1	3	7	4	6	2	5
2	7	8	1	9	3	5	4	6
4	1	3	8	6	5	2	9	7
9	5	6	4	2	7	1	8	3

346

4	2	8	9	1	5	3	6	7
5	3	1	2	7	6	8	9	4
9	6	7	3	4	8	1	5	2
1	7	3	6	5	9	2	4	8
6	8	9	4	2	1	7	3	5
2	5	4	8	3	7	9	1	6
3	9	5	7	8	4	6	2	1
8	1	6	5	9	2	4	7	3
7	4	2	1	6	3	5	8	9

347

2	3	8	5	7	4	9	6	1
6	4	7	8	9	1	2	5	3
5	9	1	2	6	3	8	7	4
7	6	2	9	3	5	4	1	8
8	5	9	1	4	2	7	3	6
4	1	3	7	8	6	5	9	2
3	8	4	6	5	7	1	2	9
1	7	6	4	2	9	3	8	5
9	2	5	3	1	8	6	4	7

348

9	2	7	4	1	6	8	5	3
6	3	8	5	7	9	2	1	4
4	1	5	8	2	3	9	6	7
5	4	3	6	9	8	7	2	1
8	7	1	2	4	5	6	3	9
2	9	6	7	3	1	5	4	8
1	5	4	9	8	2	3	7	6
7	8	2	3	6	4	1	9	5
3	6	9	1	5	7	4	8	2

349

7	5	1	6	4	2	3	9	8
2	3	8	1	5	9	6	4	7
9	6	4	8	7	3	2	1	5
8	4	2	9	1	5	7	3	6
5	1	3	7	2	6	9	8	4
6	7	9	3	8	4	5	2	1
4	9	5	2	6	8	1	7	3
1	2	6	4	3	7	8	5	9
3	8	7	5	9	1	4	6	2

350

7	1	2	8	9	5	3	4	6
8	3	5	4	2	6	9	7	1
9	6	4	3	7	1	2	5	8
3	5	1	2	6	7	4	8	9
2	8	7	1	4	9	6	3	5
4	9	6	5	3	8	7	1	2
1	2	9	7	8	4	5	6	3
6	7	8	9	5	3	1	2	4
5	4	3	6	1	2	8	9	7

351

6	5	4	8	2	9	7	3	1
7	1	2	6	3	5	4	9	8
8	3	9	7	4	1	2	5	6
3	4	7	5	6	2	8	1	9
1	6	5	9	8	4	3	2	7
9	2	8	1	7	3	6	4	5
4	7	1	3	9	6	5	8	2
2	9	6	4	5	8	1	7	3
5	8	3	2	1	7	9	6	4

352

6	3	2	5	1	4	8	7	9
9	8	1	7	6	2	4	3	5
4	5	7	3	9	8	2	6	1
2	7	8	9	5	3	1	4	6
3	6	4	8	2	1	9	5	7
1	9	5	6	4	7	3	2	8
8	2	3	1	7	6	5	9	4
5	4	6	2	8	9	7	1	3
7	1	9	4	3	5	6	8	2

353

2	5	3	6	9	8	7	4	1
4	8	1	7	2	3	5	6	9
6	7	9	1	4	5	3	8	2
9	4	5	2	6	7	8	1	3
1	6	8	5	3	9	4	2	7
3	2	7	4	8	1	9	5	6
7	1	4	3	5	2	6	9	8
8	3	6	9	1	4	2	7	5
5	9	2	8	7	6	1	3	4

354

4	1	2	7	5	9	8	3	6
8	6	5	2	3	4	1	9	7
7	9	3	6	1	8	2	5	4
6	4	7	8	9	2	5	1	3
5	2	8	3	6	1	7	4	9
1	3	9	5	4	7	6	2	8
3	7	4	1	2	6	9	8	5
9	8	1	4	7	5	3	6	2
2	5	6	9	8	3	4	7	1

355

2	9	8	4	3	1	6	5	7
4	3	5	8	6	7	1	9	2
7	6	1	5	2	9	3	8	4
3	8	9	6	4	2	5	7	1
1	5	2	9	7	8	4	6	3
6	7	4	3	1	5	8	2	9
8	4	7	1	9	6	2	3	5
9	1	6	2	5	3	7	4	8
5	2	3	7	8	4	9	1	6

356

5	6	3	8	9	7	1	4	2
9	4	8	3	1	2	5	6	7
2	7	1	5	4	6	3	9	8
7	8	2	9	6	1	4	3	5
6	5	4	7	3	8	2	1	9
1	3	9	4	2	5	7	8	6
3	1	5	2	8	9	6	7	4
4	9	7	6	5	3	8	2	1
8	2	6	1	7	4	9	5	3

357

8	9	3	2	1	6	4	5	7
1	7	4	8	9	5	3	2	6
5	6	2	7	4	3	1	9	8
6	4	7	9	3	1	5	8	2
3	5	9	6	2	8	7	1	4
2	8	1	5	7	4	9	6	3
9	2	8	4	5	7	6	3	1
7	1	5	3	6	2	8	4	9
4	3	6	1	8	9	2	7	5

358

5	6	2	3	7	1	8	9	4
8	4	3	6	2	9	1	7	5
7	9	1	5	4	8	3	2	6
1	3	9	2	5	4	7	6	8
2	7	6	8	9	3	5	4	1
4	5	8	1	6	7	9	3	2
9	2	7	4	1	5	6	8	3
3	1	4	7	8	6	2	5	9
6	8	5	9	3	2	4	1	7

359

9	8	3	1	4	6	7	5	2
2	7	6	9	3	5	4	1	8
1	5	4	8	7	2	9	3	6
3	2	1	7	6	8	5	9	4
5	9	7	4	2	1	6	8	3
6	4	8	5	9	3	1	2	7
8	6	9	3	5	4	2	7	1
7	1	2	6	8	9	3	4	5
4	3	5	2	1	7	8	6	9

360

5	6	8	7	3	1	2	4	9
4	9	3	8	2	5	6	1	7
1	7	2	4	6	9	3	5	8
9	5	6	1	4	7	8	3	2
3	8	4	2	9	6	5	7	1
7	2	1	5	8	3	9	6	4
8	4	7	6	5	2	1	9	3
6	1	9	3	7	8	4	2	5
2	3	5	9	1	4	7	8	6

361

5	6	9	4	3	7	8	2	1
8	2	7	9	1	5	3	4	6
4	3	1	6	2	8	7	9	5
6	4	5	2	8	9	1	3	7
7	8	3	5	4	1	2	6	9
1	9	2	7	6	3	4	5	8
3	7	4	1	9	6	5	8	2
9	1	8	3	5	2	6	7	4
2	5	6	8	7	4	9	1	3

362

9	4	7	8	6	1	5	3	2
1	6	3	5	7	2	8	9	4
8	5	2	4	9	3	1	7	6
3	7	8	2	1	5	4	6	9
6	1	9	7	3	4	2	5	8
5	2	4	6	8	9	3	1	7
2	3	5	9	4	6	7	8	1
7	9	1	3	2	8	6	4	5
4	8	6	1	5	7	9	2	3

363

6	1	5	7	3	2	9	8	4
2	7	9	4	8	5	3	1	6
3	8	4	1	9	6	5	2	7
4	9	3	5	7	8	1	6	2
8	5	1	6	2	3	7	4	9
7	6	2	9	1	4	8	5	3
5	4	7	8	6	9	2	3	1
1	3	8	2	4	7	6	9	5
9	2	6	3	5	1	4	7	8

364

9	1	7	5	6	2	3	8	4
6	5	3	8	7	4	9	2	1
2	4	8	1	9	3	5	7	6
5	7	6	2	3	8	4	1	9
4	9	1	7	5	6	8	3	2
3	8	2	9	4	1	6	5	7
1	2	4	3	8	9	7	6	5
7	3	9	6	1	5	2	4	8
8	6	5	4	2	7	1	9	3

365

8	9	7	5	6	3	4	2	1
5	4	6	1	2	8	7	3	9
3	1	2	4	9	7	5	6	8
1	6	8	7	5	9	2	4	3
4	7	9	3	1	2	8	5	6
2	3	5	8	4	6	9	1	7
7	8	4	2	3	1	6	9	5
9	2	1	6	8	5	3	7	4
6	5	3	9	7	4	1	8	2

366

3	1	6	2	8	9	5	4	7
8	2	5	7	4	6	9	1	3
7	4	9	5	1	3	6	2	8
2	3	8	9	6	1	4	7	5
9	6	7	8	5	4	2	3	1
1	5	4	3	7	2	8	9	6
6	8	3	4	2	7	1	5	9
5	9	2	1	3	8	7	6	4
4	7	1	6	9	5	3	8	2

367

4	8	2	9	3	1	7	6	5
3	9	6	4	5	7	1	2	8
5	7	1	8	6	2	3	9	4
7	4	3	5	9	6	8	1	2
6	1	8	3	2	4	9	5	7
2	5	9	7	1	8	4	3	6
8	6	5	1	4	9	2	7	3
1	3	7	2	8	5	6	4	9
9	2	4	6	7	3	5	8	1

368

1	5	8	6	7	4	2	3	9
4	2	9	8	5	3	6	1	7
3	6	7	9	2	1	4	8	5
8	9	5	4	6	2	3	7	1
7	4	3	1	8	5	9	2	6
2	1	6	7	3	9	8	5	4
6	7	4	2	1	8	5	9	3
5	8	1	3	9	6	7	4	2
9	3	2	5	4	7	1	6	8

369

8	6	9	2	1	7	4	5	3
4	5	1	6	8	3	2	7	9
3	7	2	4	5	9	6	1	8
2	3	4	5	7	8	9	6	1
5	1	6	3	9	2	7	8	4
9	8	7	1	4	6	3	2	5
6	2	5	8	3	4	1	9	7
1	9	3	7	6	5	8	4	2
7	4	8	9	2	1	5	3	6

370

3	2	7	4	9	5	6	1	8
1	9	6	7	8	2	5	4	3
5	8	4	6	1	3	9	2	7
9	1	3	8	6	7	4	5	2
7	6	5	2	3	4	1	8	9
8	4	2	9	5	1	7	3	6
2	3	1	5	7	9	8	6	4
6	5	9	3	4	8	2	7	1
4	7	8	1	2	6	3	9	5

371

3	8	5	6	7	9	2	1	4
1	9	4	5	8	2	3	7	6
2	6	7	3	4	1	5	8	9
4	3	8	2	6	7	9	5	1
6	5	2	9	1	8	7	4	3
9	7	1	4	5	3	6	2	8
8	1	6	7	3	5	4	9	2
5	2	3	8	9	4	1	6	7
7	4	9	1	2	6	8	3	5

372

8	7	3	9	2	6	5	4	1
5	9	2	3	1	4	7	8	6
6	1	4	5	8	7	2	9	3
7	5	1	4	9	2	6	3	8
2	3	8	1	6	5	9	7	4
9	4	6	7	3	8	1	5	2
1	8	9	6	7	3	4	2	5
4	2	7	8	5	1	3	6	9
3	6	5	2	4	9	8	1	7

373

4	3	7	9	5	8	6	1	2
5	1	2	3	6	4	9	7	8
9	6	8	2	7	1	3	4	5
1	5	9	7	3	6	8	2	4
7	2	4	8	9	5	1	6	3
3	8	6	4	1	2	5	9	7
8	9	1	5	4	7	2	3	6
6	7	5	1	2	3	4	8	9
2	4	3	6	8	9	7	5	1

374

5	6	9	2	4	3	8	1	7
4	7	2	1	8	6	9	5	3
1	3	8	5	7	9	4	6	2
9	4	6	8	3	2	1	7	5
8	5	1	6	9	7	3	2	4
3	2	7	4	5	1	6	8	9
7	1	5	3	6	4	2	9	8
6	9	3	7	2	8	5	4	1
2	8	4	9	1	5	7	3	6

375

6	8	9	4	2	7	5	3	1
7	1	3	5	6	8	2	9	4
4	2	5	1	9	3	6	7	8
3	4	1	6	8	9	7	2	5
8	5	2	3	7	1	9	4	6
9	7	6	2	5	4	1	8	3
2	6	7	8	4	5	3	1	9
5	3	8	9	1	2	4	6	7
1	9	4	7	3	6	8	5	2

376

6	4	8	1	3	5	2	9	7
2	9	3	7	4	6	1	5	8
7	5	1	8	9	2	3	6	4
1	6	7	9	2	8	5	4	3
3	8	4	6	5	1	7	2	9
5	2	9	4	7	3	8	1	6
8	7	2	5	6	4	9	3	1
4	1	5	3	8	9	6	7	2
9	3	6	2	1	7	4	8	5

377

2	7	5	6	9	4	3	8	1
6	8	3	1	5	7	4	9	2
9	4	1	2	8	3	6	7	5
7	3	4	9	1	2	5	6	8
8	1	2	5	3	6	7	4	9
5	9	6	4	7	8	2	1	3
3	6	9	8	4	5	1	2	7
1	2	7	3	6	9	8	5	4
4	5	8	7	2	1	9	3	6

378

3	9	1	4	6	7	2	8	5
2	8	7	5	1	3	4	6	9
4	6	5	8	9	2	7	3	1
9	3	4	1	7	6	5	2	8
7	1	8	2	5	4	3	9	6
6	5	2	3	8	9	1	7	4
5	7	6	9	3	1	8	4	2
1	2	9	7	4	8	6	5	3
8	4	3	6	2	5	9	1	7

379

1	8	7	6	2	3	5	9	4
3	6	5	9	4	7	2	8	1
2	4	9	8	5	1	7	3	6
6	1	3	4	8	2	9	7	5
5	7	8	3	6	9	4	1	2
4	9	2	1	7	5	8	6	3
9	2	6	5	1	8	3	4	7
7	3	1	2	9	4	6	5	8
8	5	4	7	3	6	1	2	9

380

6	3	5	9	8	4	1	7	2
7	1	4	2	6	3	9	5	8
9	2	8	1	5	7	6	4	3
4	5	2	7	3	6	8	1	9
1	7	9	8	2	5	3	6	4
3	8	6	4	1	9	7	2	5
8	9	7	5	4	1	2	3	6
2	4	3	6	7	8	5	9	1
5	6	1	3	9	2	4	8	7

381

1	7	3	8	9	4	2	5	6
9	6	8	7	5	2	4	3	1
4	5	2	3	1	6	8	9	7
3	4	9	5	6	8	1	7	2
6	2	5	4	7	1	9	8	3
8	1	7	9	2	3	5	6	4
7	8	4	1	3	5	6	2	9
2	9	1	6	8	7	3	4	5
5	3	6	2	4	9	7	1	8

382

9	8	1	2	3	5	4	6	7
2	7	3	8	4	6	1	9	5
6	4	5	1	7	9	2	8	3
4	5	2	7	6	1	8	3	9
7	6	9	4	8	3	5	2	1
3	1	8	5	9	2	6	7	4
5	3	7	6	1	8	9	4	2
1	9	6	3	2	4	7	5	8
8	2	4	9	5	7	3	1	6

383

3	2	4	6	8	7	1	9	5
9	7	6	5	1	2	4	8	3
5	1	8	4	3	9	7	6	2
8	4	2	3	5	1	9	7	6
7	6	5	8	9	4	2	3	1
1	9	3	7	2	6	5	4	8
4	5	1	9	6	3	8	2	7
6	8	7	2	4	5	3	1	9
2	3	9	1	7	8	6	5	4

384

7	3	1	5	9	6	2	8	4
9	2	8	7	4	1	5	3	6
4	5	6	8	2	3	1	9	7
8	1	9	2	6	4	3	7	5
3	6	7	1	5	9	8	4	2
2	4	5	3	7	8	9	6	1
1	9	4	6	8	2	7	5	3
6	7	2	9	3	5	4	1	8
5	8	3	4	1	7	6	2	9

385

3	6	1	2	7	4	5	9	8
8	5	9	6	3	1	2	7	4
4	7	2	5	9	8	3	1	6
7	1	6	4	5	9	8	3	2
2	9	3	8	6	7	1	4	5
5	4	8	3	1	2	9	6	7
1	8	5	9	4	6	7	2	3
9	2	4	7	8	3	6	5	1
6	3	7	1	2	5	4	8	9

386

5	7	8	2	4	9	1	3	6
6	3	2	1	8	7	5	4	9
9	4	1	3	5	6	8	7	2
1	5	4	9	7	3	2	6	8
2	8	9	5	6	4	3	1	7
3	6	7	8	2	1	9	5	4
8	2	6	7	3	5	4	9	1
4	1	5	6	9	8	7	2	3
7	9	3	4	1	2	6	8	5

387

7	2	5	1	3	8	9	4	6
3	9	1	4	6	2	7	8	5
6	4	8	5	7	9	3	2	1
2	5	4	9	1	7	8	6	3
1	8	6	3	2	5	4	7	9
9	3	7	6	8	4	1	5	2
4	1	2	7	5	3	6	9	8
5	7	3	8	9	6	2	1	4
8	6	9	2	4	1	5	3	7

388

1	7	9	5	8	2	3	4	6
2	3	5	6	4	9	1	8	7
4	8	6	3	1	7	2	5	9
5	1	4	2	9	6	8	7	3
7	6	2	8	3	4	5	9	1
3	9	8	1	7	5	4	6	2
6	4	3	7	2	8	9	1	5
9	2	7	4	5	1	6	3	8
8	5	1	9	6	3	7	2	4

✔

389

1	6	4	2	5	8	7	9	3
2	8	7	1	3	9	6	5	4
9	3	5	6	4	7	8	2	1
3	1	9	7	2	4	5	6	8
7	5	8	9	1	6	3	4	2
4	2	6	5	8	3	1	7	9
5	9	3	8	6	2	4	1	7
6	4	2	3	7	1	9	8	5
8	7	1	4	9	5	2	3	6

390

5	9	6	7	1	4	3	8	2
8	4	7	2	3	6	5	9	1
1	3	2	9	8	5	6	7	4
4	1	9	8	5	3	2	6	7
7	8	3	6	2	9	4	1	5
6	2	5	4	7	1	8	3	9
9	5	8	3	4	7	1	2	6
3	7	4	1	6	2	9	5	8
2	6	1	5	9	8	7	4	3

391

8	6	4	9	2	1	3	5	7
9	1	5	4	3	7	2	6	8
7	2	3	6	8	5	9	4	1
4	9	8	7	6	2	5	1	3
2	3	6	5	1	8	4	7	9
1	5	7	3	9	4	6	8	2
3	8	2	1	5	6	7	9	4
6	7	9	8	4	3	1	2	5
5	4	1	2	7	9	8	3	6

392

8	9	5	3	6	1	2	4	7
1	4	6	5	7	2	9	3	8
3	2	7	9	4	8	6	1	5
7	3	2	1	9	6	8	5	4
4	6	9	8	5	7	3	2	1
5	1	8	2	3	4	7	6	9
2	8	3	4	1	9	5	7	6
6	5	1	7	8	3	4	9	2
9	7	4	6	2	5	1	8	3

393

5	8	1	9	2	3	4	6	7
2	3	6	4	7	8	5	9	1
4	9	7	1	6	5	8	3	2
9	5	3	7	1	4	2	8	6
1	6	2	5	8	9	3	7	4
8	7	4	2	3	6	9	1	5
6	1	8	3	4	2	7	5	9
7	4	5	8	9	1	6	2	3
3	2	9	6	5	7	1	4	8

394

7	6	4	1	3	9	5	8	2
9	5	8	4	2	6	3	1	7
2	1	3	8	5	7	9	6	4
4	7	5	2	6	8	1	9	3
8	2	1	3	9	4	6	7	5
6	3	9	5	7	1	2	4	8
5	4	7	6	1	3	8	2	9
1	8	2	9	4	5	7	3	6
3	9	6	7	8	2	4	5	1

395

9	1	3	6	5	2	4	8	7
5	7	2	8	3	4	1	6	9
6	4	8	9	1	7	2	3	5
1	5	7	2	4	3	6	9	8
8	3	4	5	9	6	7	2	1
2	9	6	7	8	1	5	4	3
3	6	5	1	2	8	9	7	4
4	2	1	3	7	9	8	5	6
7	8	9	4	6	5	3	1	2

396

1	9	3	5	6	4	7	2	8
8	7	5	1	2	9	4	3	6
2	4	6	8	7	3	1	5	9
7	1	4	9	8	5	2	6	3
3	2	8	7	1	6	9	4	5
5	6	9	4	3	2	8	7	1
4	3	7	6	9	8	5	1	2
9	5	2	3	4	1	6	8	7
6	8	1	2	5	7	3	9	4

1	3	2	6	8	4	7	5	9
9	5	4	3	2	7	1	6	8
6	7	8	5	1	9	2	4	3
2	6	7	9	4	8	3	1	5
3	4	9	1	7	5	8	2	6
8	1	5	2	3	6	9	7	4
4	9	3	7	5	1	6	8	2
7	8	6	4	9	2	5	3	1
5	2	1	8	6	3	4	9	7

4	8	2	5	6	1	7	3	9
3	1	9	7	8	2	6	4	5
5	7	6	9	4	3	8	1	2
7	6	3	2	5	9	4	8	1
9	5	8	1	3	4	2	6	7
1	2	4	6	7	8	9	5	3
8	4	5	3	9	7	1	2	6
2	3	7	8	1	6	5	9	4
6	9	1	4	2	5	3	7	8

5	1	2	3	4	8	6	7	9
8	3	6	9	7	2	5	4	1
7	4	9	1	5	6	8	3	2
1	7	4	6	2	5	9	8	3
3	6	8	4	9	1	2	5	7
2	9	5	7	8	3	4	1	6
9	5	1	8	6	7	3	2	4
4	2	3	5	1	9	7	6	8
6	8	7	2	3	4	1	9	5

4	6	5	3	1	2	9	7	8
2	8	7	4	6	9	5	1	3
1	9	3	5	8	7	4	2	6
6	7	9	1	2	5	3	8	4
3	4	1	6	9	8	2	5	7
5	2	8	7	3	4	6	9	1
9	1	4	8	5	3	7	6	2
8	3	2	9	7	6	1	4	5
7	5	6	2	4	1	8	3	9

401

3	6	1	5	2	4	8	7	9
5	2	7	9	8	1	3	6	4
9	8	4	6	3	7	1	5	2
7	3	6	4	9	2	5	1	8
2	4	5	1	6	8	9	3	7
1	9	8	7	5	3	4	2	6
8	7	9	2	1	5	6	4	3
6	5	2	3	4	9	7	8	1
4	1	3	8	7	6	2	9	5

402

3	7	5	8	2	6	1	9	4
6	8	4	3	1	9	7	2	5
1	9	2	4	5	7	6	8	3
7	5	8	6	9	1	3	4	2
9	1	6	2	4	3	8	5	7
4	2	3	5	7	8	9	6	1
2	6	9	7	3	5	4	1	8
8	4	7	1	6	2	5	3	9
5	3	1	9	8	4	2	7	6

403

6	1	5	8	9	4	7	2	3
9	8	2	7	1	3	4	6	5
3	7	4	5	2	6	9	1	8
1	6	7	4	3	2	8	5	9
5	9	8	1	6	7	3	4	2
4	2	3	9	8	5	6	7	1
8	5	1	6	7	9	2	3	4
7	3	9	2	4	1	5	8	6
2	4	6	3	5	8	1	9	7

404

8	5	3	6	9	1	4	7	2
1	2	4	5	8	7	3	9	6
9	6	7	2	3	4	1	8	5
4	8	6	3	2	9	5	1	7
3	7	5	1	6	8	2	4	9
2	9	1	7	4	5	6	3	8
6	4	2	8	7	3	9	5	1
5	3	8	9	1	6	7	2	4
7	1	9	4	5	2	8	6	3

405

6	2	9	1	3	4	8	7	5
4	3	7	5	2	8	6	9	1
5	8	1	9	6	7	2	3	4
2	1	8	4	9	3	7	5	6
3	7	6	8	5	1	9	4	2
9	4	5	6	7	2	3	1	8
8	9	3	2	1	5	4	6	7
1	6	4	7	8	9	5	2	3
7	5	2	3	4	6	1	8	9

406

9	4	5	8	6	2	1	3	7
1	6	7	4	3	9	2	5	8
8	3	2	5	7	1	4	6	9
7	8	4	3	2	5	9	1	6
6	2	3	1	9	8	5	7	4
5	1	9	6	4	7	8	2	3
4	9	6	2	5	3	7	8	1
2	7	8	9	1	6	3	4	5
3	5	1	7	8	4	6	9	2

407

3	4	8	2	7	6	1	9	5
9	2	1	5	4	3	8	7	6
7	5	6	8	1	9	2	4	3
2	8	5	6	3	7	4	1	9
1	3	9	4	5	8	6	2	7
4	6	7	9	2	1	5	3	8
8	1	2	7	9	5	3	6	4
6	9	4	3	8	2	7	5	1
5	7	3	1	6	4	9	8	2

408

1	8	2	7	3	6	4	9	5
4	5	6	2	9	1	8	7	3
9	7	3	8	5	4	2	6	1
2	9	8	1	6	7	5	3	4
3	4	1	5	2	9	6	8	7
5	6	7	3	4	8	1	2	9
7	2	5	6	1	3	9	4	8
8	1	4	9	7	2	3	5	6
6	3	9	4	8	5	7	1	2

409

7	6	3	9	8	2	4	1	5
9	1	2	5	4	7	8	6	3
5	4	8	1	6	3	7	2	9
3	8	5	7	2	6	1	9	4
4	7	9	3	1	5	2	8	6
1	2	6	8	9	4	5	3	7
8	3	1	4	5	9	6	7	2
2	9	4	6	7	1	3	5	8
6	5	7	2	3	8	9	4	1

410

7	5	6	3	4	9	2	1	8
3	4	9	8	2	1	6	7	5
2	8	1	7	6	5	9	4	3
1	3	8	4	9	6	5	2	7
5	6	2	1	8	7	3	9	4
9	7	4	2	5	3	1	8	6
4	2	5	9	3	8	7	6	1
8	1	3	6	7	2	4	5	9
6	9	7	5	1	4	8	3	2

411

8	7	1	3	2	4	6	9	5
6	2	3	5	9	8	1	7	4
4	5	9	6	7	1	3	8	2
9	6	7	1	8	5	2	4	3
1	4	8	7	3	2	9	5	6
5	3	2	4	6	9	8	1	7
2	1	5	9	4	6	7	3	8
7	9	6	8	5	3	4	2	1
3	8	4	2	1	7	5	6	9

412

8	6	9	1	5	4	7	3	2
2	1	3	7	8	9	6	4	5
5	4	7	2	6	3	8	1	9
1	3	2	8	7	5	9	6	4
7	5	8	4	9	6	1	2	3
6	9	4	3	2	1	5	7	8
4	8	1	9	3	7	2	5	6
9	7	6	5	4	2	3	8	1
3	2	5	6	1	8	4	9	7

413

4	5	3	2	6	8	7	1	9
8	1	7	3	5	9	6	2	4
6	2	9	4	1	7	8	3	5
5	6	4	1	8	3	2	9	7
9	8	1	6	7	2	5	4	3
3	7	2	9	4	5	1	8	6
2	3	8	5	9	6	4	7	1
1	9	5	7	2	4	3	6	8
7	4	6	8	3	1	9	5	2

414

6	7	5	1	3	8	4	2	9
2	1	8	9	5	4	6	7	3
3	4	9	6	7	2	5	8	1
8	6	4	7	1	3	2	9	5
1	9	3	2	6	5	7	4	8
7	5	2	4	8	9	1	3	6
4	2	6	3	9	1	8	5	7
5	3	1	8	2	7	9	6	4
9	8	7	5	4	6	3	1	2

415

3	6	7	9	1	4	2	5	8
4	9	8	7	5	2	6	3	1
1	5	2	3	8	6	9	7	4
7	4	1	6	3	8	5	2	9
9	8	6	2	7	5	1	4	3
2	3	5	1	4	9	7	8	6
5	2	4	8	6	1	3	9	7
8	1	3	5	9	7	4	6	2
6	7	9	4	2	3	8	1	5

416

4	3	7	9	6	1	8	5	2
2	5	9	4	7	8	6	1	3
1	8	6	3	2	5	7	4	9
9	7	8	5	1	3	4	2	6
5	2	4	8	9	6	3	7	1
3	6	1	2	4	7	9	8	5
8	4	2	1	3	9	5	6	7
7	1	3	6	5	4	2	9	8
6	9	5	7	8	2	1	3	4

417

8	7	2	3	5	6	9	4	1
6	3	4	9	1	7	2	8	5
9	5	1	4	8	2	3	6	7
1	9	8	6	4	5	7	2	3
2	6	5	7	9	3	4	1	8
7	4	3	8	2	1	6	5	9
3	1	7	2	6	8	5	9	4
5	2	9	1	7	4	8	3	6
4	8	6	5	3	9	1	7	2

418

2	8	7	3	5	9	4	1	6
1	9	5	2	6	4	3	7	8
3	6	4	8	7	1	9	2	5
6	4	2	5	1	7	8	3	9
7	5	3	6	9	8	1	4	2
9	1	8	4	2	3	5	6	7
8	2	1	7	3	5	6	9	4
5	3	6	9	4	2	7	8	1
4	7	9	1	8	6	2	5	3

419

2	3	6	8	4	7	1	5	9
5	8	9	1	2	6	4	7	3
1	7	4	3	5	9	2	8	6
3	6	8	7	1	2	9	4	5
7	9	5	6	3	4	8	2	1
4	2	1	5	9	8	3	6	7
9	4	3	2	6	5	7	1	8
6	1	7	4	8	3	5	9	2
8	5	2	9	7	1	6	3	4

420

4	7	5	6	2	3	8	9	1
2	9	3	8	1	7	4	6	5
8	6	1	9	4	5	7	3	2
6	8	9	3	7	1	2	5	4
3	4	7	2	5	8	9	1	6
1	5	2	4	9	6	3	8	7
9	2	6	1	3	4	5	7	8
5	3	8	7	6	2	1	4	9
7	1	4	5	8	9	6	2	3

421

3	6	5	7	2	8	9	1	4
8	9	1	4	6	3	5	7	2
7	4	2	5	1	9	8	3	6
1	3	9	2	8	6	4	5	7
4	5	6	3	9	7	1	2	8
2	7	8	1	4	5	3	6	9
6	8	7	9	5	1	2	4	3
5	2	3	8	7	4	6	9	1
9	1	4	6	3	2	7	8	5

422

8	5	6	2	9	7	4	1	3
9	1	7	6	3	4	8	2	5
4	3	2	8	1	5	9	6	7
6	9	5	1	8	2	3	7	4
7	4	1	3	5	9	2	8	6
2	8	3	7	4	6	5	9	1
3	2	8	5	6	1	7	4	9
5	6	4	9	7	8	1	3	2
1	7	9	4	2	3	6	5	8

423

7	8	5	9	4	6	2	3	1
3	4	6	1	2	7	5	9	8
1	2	9	8	5	3	6	7	4
5	3	8	6	9	4	1	2	7
9	6	4	2	7	1	8	5	3
2	1	7	5	3	8	4	6	9
4	5	2	3	8	9	7	1	6
8	9	1	7	6	2	3	4	5
6	7	3	4	1	5	9	8	2

424

2	3	4	5	7	8	6	9	1
1	7	5	3	6	9	8	4	2
9	8	6	2	1	4	5	7	3
6	9	8	1	4	5	3	2	7
5	1	3	7	9	2	4	8	6
4	2	7	8	3	6	9	1	5
8	6	2	4	5	1	7	3	9
7	4	9	6	2	3	1	5	8
3	5	1	9	8	7	2	6	4

425

3	9	2	8	7	6	4	5	1
4	1	6	9	3	5	8	7	2
7	5	8	4	2	1	3	6	9
5	4	3	6	1	2	7	9	8
1	2	9	3	8	7	6	4	5
8	6	7	5	4	9	2	1	3
9	8	1	2	6	4	5	3	7
6	3	5	7	9	8	1	2	4
2	7	4	1	5	3	9	8	6

426

8	7	9	1	4	2	3	5	6
1	6	5	3	7	8	4	9	2
2	3	4	5	9	6	1	8	7
3	5	2	6	8	9	7	1	4
7	1	6	4	3	5	8	2	9
9	4	8	7	2	1	5	6	3
6	2	3	8	5	7	9	4	1
4	8	1	9	6	3	2	7	5
5	9	7	2	1	4	6	3	8

427

9	5	4	3	6	2	1	8	7
8	7	3	1	5	4	6	2	9
6	1	2	9	7	8	3	5	4
1	8	7	5	4	9	2	6	3
2	4	5	6	1	3	7	9	8
3	9	6	8	2	7	4	1	5
5	2	9	7	3	1	8	4	6
7	6	1	4	8	5	9	3	2
4	3	8	2	9	6	5	7	1

428

3	5	7	2	6	1	9	8	4
2	6	8	4	9	5	3	1	7
4	9	1	7	3	8	2	6	5
6	3	4	5	1	9	7	2	8
5	8	2	6	7	3	4	9	1
7	1	9	8	2	4	5	3	6
1	4	3	9	8	7	6	5	2
9	2	5	1	4	6	8	7	3
8	7	6	3	5	2	1	4	9

429

2	6	7	1	4	8	9	3	5
3	9	1	2	6	5	7	8	4
5	4	8	3	7	9	1	2	6
7	1	3	5	9	6	2	4	8
4	2	6	8	1	3	5	9	7
9	8	5	7	2	4	3	6	1
8	3	2	6	5	1	4	7	9
1	7	4	9	8	2	6	5	3
6	5	9	4	3	7	8	1	2

430

1	2	7	4	3	5	8	9	6
3	5	9	7	8	6	1	2	4
8	4	6	9	1	2	7	5	3
5	9	3	6	7	4	2	8	1
7	6	1	8	2	9	3	4	5
4	8	2	3	5	1	9	6	7
9	3	4	2	6	7	5	1	8
6	7	5	1	9	8	4	3	2
2	1	8	5	4	3	6	7	9

431

2	7	3	8	9	4	6	1	5
8	9	1	5	6	3	7	2	4
5	6	4	1	7	2	8	9	3
9	3	5	7	8	1	2	4	6
1	8	7	2	4	6	3	5	9
6	4	2	9	3	5	1	7	8
7	5	6	4	2	8	9	3	1
4	2	8	3	1	9	5	6	7
3	1	9	6	5	7	4	8	2

432

4	1	8	2	9	3	6	5	7
5	6	7	1	8	4	9	3	2
3	9	2	7	5	6	4	1	8
6	8	3	5	4	1	7	2	9
9	2	4	6	3	7	5	8	1
7	5	1	8	2	9	3	4	6
1	3	6	4	7	2	8	9	5
8	7	9	3	1	5	2	6	4
2	4	5	9	6	8	1	7	3

✔

433

4	5	2	9	6	8	7	1	3
8	1	9	3	4	7	2	6	5
6	3	7	5	2	1	9	8	4
1	2	6	4	5	3	8	7	9
7	4	3	1	8	9	6	5	2
9	8	5	2	7	6	3	4	1
2	7	4	6	3	5	1	9	8
5	6	1	8	9	2	4	3	7
3	9	8	7	1	4	5	2	6

434

5	1	9	4	2	8	7	6	3
8	2	7	3	6	9	1	4	5
4	3	6	1	5	7	9	2	8
1	8	3	9	7	2	6	5	4
6	9	4	5	1	3	2	8	7
2	7	5	6	8	4	3	1	9
3	5	8	2	9	1	4	7	6
9	6	1	7	4	5	8	3	2
7	4	2	8	3	6	5	9	1

435

4	6	5	8	7	3	2	1	9
8	3	2	6	1	9	5	7	4
7	9	1	5	2	4	3	8	6
1	5	9	3	6	8	7	4	2
2	4	3	1	5	7	9	6	8
6	8	7	9	4	2	1	5	3
9	1	8	4	3	5	6	2	7
5	2	4	7	9	6	8	3	1
3	7	6	2	8	1	4	9	5

436

6	8	5	1	2	3	9	7	4
3	9	2	5	4	7	1	8	6
4	7	1	8	9	6	5	3	2
9	6	7	2	5	4	3	1	8
1	3	4	9	7	8	2	6	5
2	5	8	6	3	1	4	9	7
8	2	6	4	1	9	7	5	3
5	1	3	7	8	2	6	4	9
7	4	9	3	6	5	8	2	1

437

9	3	1	5	7	6	4	8	2
4	5	6	9	2	8	7	1	3
2	7	8	1	4	3	5	9	6
1	2	4	8	9	5	6	3	7
7	9	5	3	6	4	8	2	1
8	6	3	2	1	7	9	5	4
6	8	2	7	5	1	3	4	9
5	1	7	4	3	9	2	6	8
3	4	9	6	8	2	1	7	5

438

5	2	9	1	7	4	3	6	8
4	3	8	5	6	2	9	1	7
7	1	6	8	3	9	4	2	5
1	9	2	4	8	5	6	7	3
3	4	7	2	9	6	8	5	1
8	6	5	7	1	3	2	9	4
9	5	4	3	2	7	1	8	6
6	7	1	9	4	8	5	3	2
2	8	3	6	5	1	7	4	9

439

3	8	4	9	2	7	1	6	5
5	7	1	6	8	3	2	4	9
9	6	2	4	5	1	3	7	8
4	1	5	7	3	9	6	8	2
6	2	7	8	1	5	9	3	4
8	3	9	2	4	6	7	5	1
2	5	6	1	7	4	8	9	3
1	9	3	5	6	8	4	2	7
7	4	8	3	9	2	5	1	6

440

7	3	6	4	8	5	9	1	2
4	8	9	3	2	1	7	6	5
2	5	1	9	6	7	3	4	8
3	1	8	5	7	6	4	2	9
9	4	7	8	3	2	1	5	6
6	2	5	1	4	9	8	7	3
1	7	2	6	9	8	5	3	4
8	6	3	7	5	4	2	9	1
5	9	4	2	1	3	6	8	7

441

5	6	4	9	3	8	2	1	7
2	1	8	5	4	7	9	3	6
9	3	7	1	2	6	8	4	5
4	2	9	3	8	5	6	7	1
1	7	3	6	9	2	4	5	8
8	5	6	4	7	1	3	9	2
3	8	5	2	1	9	7	6	4
6	4	2	7	5	3	1	8	9
7	9	1	8	6	4	5	2	3

442

5	1	6	9	4	8	2	3	7
2	4	7	5	1	3	6	9	8
8	3	9	2	6	7	5	4	1
4	8	3	6	5	2	1	7	9
9	7	2	4	8	1	3	6	5
1	6	5	3	7	9	8	2	4
6	5	8	7	2	4	9	1	3
3	2	4	1	9	5	7	8	6
7	9	1	8	3	6	4	5	2

443

4	5	9	8	1	3	7	2	6
2	8	6	9	7	4	3	5	1
3	1	7	2	6	5	9	4	8
6	4	1	5	9	8	2	3	7
9	7	3	1	4	2	8	6	5
5	2	8	7	3	6	1	9	4
7	9	4	6	2	1	5	8	3
8	6	2	3	5	7	4	1	9
1	3	5	4	8	9	6	7	2

444

4	1	8	2	5	3	9	6	7
7	3	6	9	4	8	2	5	1
9	2	5	1	6	7	8	4	3
1	4	2	6	7	9	5	3	8
8	6	7	4	3	5	1	2	9
3	5	9	8	2	1	6	7	4
5	8	3	7	1	6	4	9	2
2	7	1	5	9	4	3	8	6
6	9	4	3	8	2	7	1	5

445

9	5	1	4	2	3	8	6	7
6	3	4	7	8	9	1	5	2
2	8	7	5	1	6	9	3	4
5	6	8	2	9	7	3	4	1
3	7	9	1	4	8	5	2	6
1	4	2	6	3	5	7	8	9
8	1	6	9	5	4	2	7	3
4	2	5	3	7	1	6	9	8
7	9	3	8	6	2	4	1	5

446

7	4	8	6	2	3	9	1	5
1	2	3	5	7	9	6	8	4
5	6	9	1	4	8	2	7	3
9	1	7	3	6	4	8	5	2
2	8	4	9	1	5	3	6	7
6	3	5	2	8	7	4	9	1
8	5	6	4	3	1	7	2	9
3	9	2	7	5	6	1	4	8
4	7	1	8	9	2	5	3	6

447

3	2	8	4	9	7	5	1	6
1	9	6	5	2	8	3	4	7
7	5	4	3	1	6	2	8	9
8	4	3	6	5	1	9	7	2
9	6	7	2	4	3	1	5	8
5	1	2	8	7	9	6	3	4
2	7	1	9	3	4	8	6	5
6	3	9	7	8	5	4	2	1
4	8	5	1	6	2	7	9	3

448

8	5	9	4	2	6	7	1	3
7	3	2	1	5	9	4	6	8
6	1	4	3	7	8	5	2	9
5	9	8	7	1	4	6	3	2
2	4	6	5	8	3	9	7	1
3	7	1	9	6	2	8	5	4
9	6	5	8	3	1	2	4	7
4	2	3	6	9	7	1	8	5
1	8	7	2	4	5	3	9	6

✔

449

7	8	4	5	2	1	6	3	9
1	2	5	6	3	9	8	4	7
9	3	6	7	4	8	5	2	1
6	7	3	1	5	4	2	9	8
4	9	8	2	7	6	3	1	5
2	5	1	9	8	3	4	7	6
5	6	7	4	9	2	1	8	3
8	4	9	3	1	5	7	6	2
3	1	2	8	6	7	9	5	4

450

8	9	7	6	1	3	2	5	4
5	6	4	8	2	9	7	1	3
1	3	2	5	7	4	8	6	9
9	5	1	2	8	7	3	4	6
7	2	3	9	4	6	1	8	5
6	4	8	1	3	5	9	2	7
3	1	6	7	5	2	4	9	8
4	8	5	3	9	1	6	7	2
2	7	9	4	6	8	5	3	1

451

1	9	4	7	2	6	5	3	8
3	8	7	9	5	4	2	6	1
5	2	6	8	1	3	7	9	4
6	1	8	5	3	2	9	4	7
2	7	5	1	4	9	6	8	3
4	3	9	6	7	8	1	5	2
9	6	1	4	8	7	3	2	5
8	5	3	2	6	1	4	7	9
7	4	2	3	9	5	8	1	6

452

2	6	9	8	7	3	4	5	1
3	5	4	6	2	1	8	7	9
8	7	1	5	4	9	3	6	2
6	4	3	9	1	5	7	2	8
7	1	5	2	8	6	9	4	3
9	8	2	7	3	4	5	1	6
5	3	6	4	9	2	1	8	7
1	2	8	3	5	7	6	9	4
4	9	7	1	6	8	2	3	5

453

8	1	6	4	5	7	9	3	2
5	9	3	1	2	8	6	4	7
7	2	4	9	6	3	8	5	1
2	6	1	5	8	4	7	9	3
9	4	7	2	3	6	5	1	8
3	5	8	7	9	1	4	2	6
4	8	2	3	7	5	1	6	9
6	3	5	8	1	9	2	7	4
1	7	9	6	4	2	3	8	5

454

3	1	8	5	7	9	4	2	6
5	4	2	8	3	6	9	1	7
7	9	6	2	4	1	8	3	5
6	8	3	7	9	2	1	5	4
2	5	9	4	1	8	7	6	3
4	7	1	6	5	3	2	8	9
9	2	5	3	8	7	6	4	1
1	6	4	9	2	5	3	7	8
8	3	7	1	6	4	5	9	2

455

4	2	7	9	1	6	8	5	3
5	8	1	4	3	2	9	7	6
6	9	3	8	5	7	2	4	1
8	7	9	5	6	1	4	3	2
3	5	6	2	4	9	7	1	8
2	1	4	7	8	3	5	6	9
9	6	2	3	7	5	1	8	4
1	4	5	6	2	8	3	9	7
7	3	8	1	9	4	6	2	5

456

8	6	2	5	4	7	3	1	9
3	9	4	1	8	2	6	7	5
5	7	1	9	6	3	8	4	2
4	1	7	6	2	5	9	3	8
2	8	3	7	1	9	5	6	4
9	5	6	4	3	8	7	2	1
6	2	9	8	7	4	1	5	3
1	4	5	3	9	6	2	8	7
7	3	8	2	5	1	4	9	6

✔

457

8	6	7	2	1	5	3	9	4
1	4	9	7	3	6	5	8	2
3	5	2	4	9	8	6	7	1
9	7	8	1	6	3	4	2	5
2	3	4	5	7	9	1	6	8
5	1	6	8	4	2	7	3	9
6	9	5	3	2	4	8	1	7
4	2	1	6	8	7	9	5	3
7	8	3	9	5	1	2	4	6

458

5	4	2	7	3	9	1	6	8
8	9	6	1	4	5	2	7	3
1	7	3	2	6	8	5	9	4
9	1	4	5	8	6	7	3	2
2	3	8	9	1	7	4	5	6
7	6	5	4	2	3	9	8	1
6	2	7	8	9	4	3	1	5
4	8	9	3	5	1	6	2	7
3	5	1	6	7	2	8	4	9

459

1	3	2	6	8	4	9	5	7
6	9	5	7	1	3	8	2	4
4	8	7	9	2	5	6	1	3
9	5	8	3	4	2	1	7	6
3	7	1	8	6	9	2	4	5
2	6	4	1	5	7	3	8	9
7	2	6	4	3	8	5	9	1
5	4	3	2	9	1	7	6	8
8	1	9	5	7	6	4	3	2

460

9	7	1	8	5	4	3	6	2
3	4	6	1	7	2	9	5	8
5	8	2	9	6	3	7	1	4
1	9	7	6	2	8	4	3	5
2	6	4	5	3	9	8	7	1
8	3	5	7	4	1	6	2	9
4	2	8	3	1	6	5	9	7
7	1	3	4	9	5	2	8	6
6	5	9	2	8	7	1	4	3

✔

461

5	3	6	9	1	4	8	2	7
7	4	2	8	3	6	5	9	1
8	9	1	7	2	5	6	4	3
3	6	8	5	9	1	4	7	2
9	2	7	4	6	3	1	5	8
4	1	5	2	8	7	9	3	6
6	5	9	1	7	2	3	8	4
2	8	3	6	4	9	7	1	5
1	7	4	3	5	8	2	6	9

462

3	8	5	1	2	6	9	4	7
7	1	2	4	9	5	8	3	6
4	9	6	7	8	3	1	2	5
6	5	9	8	3	1	2	7	4
1	2	3	9	7	4	5	6	8
8	7	4	5	6	2	3	1	9
5	3	1	6	4	9	7	8	2
2	4	8	3	5	7	6	9	1
9	6	7	2	1	8	4	5	3

463

9	1	2	7	8	6	3	5	4
4	6	7	5	2	3	8	9	1
3	5	8	9	1	4	7	2	6
5	2	4	3	6	8	9	1	7
1	8	9	2	7	5	4	6	3
6	7	3	1	4	9	5	8	2
2	9	5	4	3	1	6	7	8
8	3	1	6	5	7	2	4	9
7	4	6	8	9	2	1	3	5

464

6	7	1	9	5	3	4	8	2
5	4	2	6	7	8	3	1	9
9	3	8	1	4	2	5	6	7
2	5	4	7	8	6	9	3	1
3	9	7	2	1	5	8	4	6
1	8	6	3	9	4	2	7	5
7	1	3	4	2	9	6	5	8
4	2	5	8	6	7	1	9	3
8	6	9	5	3	1	7	2	4

465

2	3	1	4	7	6	5	9	8
9	6	4	5	8	2	1	3	7
5	7	8	9	1	3	2	4	6
6	9	5	8	4	7	3	1	2
4	1	7	2	3	5	8	6	9
8	2	3	1	6	9	4	7	5
1	4	9	6	2	8	7	5	3
3	5	2	7	9	4	6	8	1
7	8	6	3	5	1	9	2	4

466

2	5	3	9	1	6	8	7	4
8	1	6	7	4	5	9	3	2
4	7	9	2	3	8	5	1	6
7	2	5	6	9	1	4	8	3
6	8	4	5	7	3	2	9	1
3	9	1	4	8	2	7	6	5
9	4	2	3	6	7	1	5	8
5	3	8	1	2	9	6	4	7
1	6	7	8	5	4	3	2	9

467

2	6	7	8	9	1	4	5	3
8	5	9	4	2	3	1	7	6
3	4	1	7	6	5	2	9	8
7	2	5	3	8	6	9	4	1
1	3	6	9	4	2	7	8	5
4	9	8	5	1	7	3	6	2
6	7	3	1	5	9	8	2	4
9	8	2	6	3	4	5	1	7
5	1	4	2	7	8	6	3	9

468

6	9	3	8	5	4	1	7	2
2	8	7	6	9	1	3	4	5
4	1	5	7	3	2	9	6	8
7	4	9	2	1	3	8	5	6
8	6	1	5	4	7	2	9	3
5	3	2	9	6	8	7	1	4
3	7	4	1	8	6	5	2	9
9	2	6	3	7	5	4	8	1
1	5	8	4	2	9	6	3	7

469

5	6	2	3	1	4	7	8	9
8	4	1	7	9	5	2	6	3
9	7	3	2	6	8	4	1	5
1	3	5	9	2	7	8	4	6
7	8	4	6	5	1	9	3	2
2	9	6	4	8	3	1	5	7
6	5	7	8	4	9	3	2	1
3	1	8	5	7	2	6	9	4
4	2	9	1	3	6	5	7	8

470

3	6	5	7	8	2	4	9	1
7	4	8	1	9	3	2	5	6
9	2	1	4	5	6	3	8	7
4	9	6	2	7	5	8	1	3
1	5	7	8	3	4	9	6	2
2	8	3	6	1	9	5	7	4
5	3	4	9	6	7	1	2	8
6	1	2	5	4	8	7	3	9
8	7	9	3	2	1	6	4	5

471

4	2	5	8	9	7	3	6	1
7	3	8	6	2	1	4	9	5
1	6	9	4	3	5	8	7	2
6	9	2	5	4	8	1	3	7
5	1	4	3	7	9	6	2	8
3	8	7	2	1	6	5	4	9
9	5	1	7	6	3	2	8	4
8	4	3	9	5	2	7	1	6
2	7	6	1	8	4	9	5	3

472

1	3	6	9	2	7	4	5	8
9	7	4	5	1	8	2	3	6
5	8	2	3	6	4	9	7	1
2	9	3	1	4	6	7	8	5
8	5	1	7	9	3	6	2	4
6	4	7	2	8	5	1	9	3
3	1	9	4	5	2	8	6	7
7	2	8	6	3	1	5	4	9
4	6	5	8	7	9	3	1	2

473

7	8	6	9	3	1	2	5	4
3	2	1	4	6	5	8	9	7
9	4	5	8	2	7	1	3	6
2	1	3	6	8	9	4	7	5
8	9	7	5	1	4	6	2	3
6	5	4	2	7	3	9	8	1
4	6	8	7	5	2	3	1	9
5	3	9	1	4	8	7	6	2
1	7	2	3	9	6	5	4	8

474

7	5	9	1	3	2	4	8	6
6	4	1	8	5	7	3	2	9
8	3	2	9	4	6	7	5	1
5	2	4	6	9	3	1	7	8
3	9	7	4	1	8	5	6	2
1	6	8	2	7	5	9	3	4
4	8	5	3	2	1	6	9	7
2	1	3	7	6	9	8	4	5
9	7	6	5	8	4	2	1	3

475

7	2	9	6	5	1	3	4	8
3	1	8	4	7	9	5	2	6
4	5	6	2	3	8	1	9	7
9	6	2	1	4	5	8	7	3
1	4	5	3	8	7	2	6	9
8	3	7	9	2	6	4	1	5
6	9	4	8	1	3	7	5	2
2	7	3	5	6	4	9	8	1
5	8	1	7	9	2	6	3	4

476

4	5	6	1	9	8	2	3	7
2	3	1	4	7	5	6	9	8
8	7	9	2	6	3	4	1	5
1	8	2	6	3	7	9	5	4
5	6	7	8	4	9	1	2	3
3	9	4	5	1	2	7	8	6
9	2	3	7	5	6	8	4	1
7	1	5	9	8	4	3	6	2
6	4	8	3	2	1	5	7	9

477

1	6	4	7	5	9	3	2	8
7	9	2	3	8	4	6	5	1
8	3	5	6	2	1	4	9	7
5	7	9	1	6	3	8	4	2
3	1	6	8	4	2	5	7	9
2	4	8	9	7	5	1	6	3
4	8	3	5	9	7	2	1	6
9	5	1	2	3	6	7	8	4
6	2	7	4	1	8	9	3	5

478

2	9	8	7	6	1	5	4	3
5	3	4	8	9	2	1	6	7
6	1	7	5	3	4	2	8	9
7	4	6	3	1	8	9	2	5
1	8	5	9	2	6	3	7	4
3	2	9	4	5	7	8	1	6
8	5	2	6	7	3	4	9	1
4	7	3	1	8	9	6	5	2
9	6	1	2	4	5	7	3	8

479

3	5	4	1	9	7	6	8	2
8	7	2	3	6	4	9	1	5
9	1	6	8	5	2	4	3	7
7	8	9	4	2	3	1	5	6
6	3	1	7	8	5	2	4	9
4	2	5	6	1	9	8	7	3
5	9	8	2	3	1	7	6	4
2	6	7	5	4	8	3	9	1
1	4	3	9	7	6	5	2	8

480

3	9	7	6	1	4	8	5	2
6	2	5	9	3	8	1	7	4
1	8	4	5	2	7	9	6	3
9	5	8	7	6	3	2	4	1
4	1	6	2	9	5	3	8	7
2	7	3	4	8	1	5	9	6
8	4	9	1	7	2	6	3	5
5	6	1	3	4	9	7	2	8
7	3	2	8	5	6	4	1	9

481

4	2	1	3	5	8	7	9	6
3	5	9	6	7	4	1	8	2
7	8	6	1	2	9	4	5	3
1	3	8	5	9	2	6	4	7
6	4	5	7	1	3	9	2	8
2	9	7	8	4	6	5	3	1
9	6	4	2	8	7	3	1	5
5	7	2	4	3	1	8	6	9
8	1	3	9	6	5	2	7	4

482

2	9	3	6	1	7	5	8	4
8	1	4	2	3	5	9	7	6
6	5	7	8	9	4	3	2	1
9	2	8	3	7	1	4	6	5
7	3	5	4	6	2	8	1	9
4	6	1	5	8	9	2	3	7
5	7	9	1	2	3	6	4	8
1	8	2	9	4	6	7	5	3
3	4	6	7	5	8	1	9	2

483

9	1	6	4	5	2	3	7	8
8	4	3	1	7	6	2	9	5
5	7	2	3	9	8	6	4	1
1	3	5	9	8	4	7	2	6
6	2	4	7	1	3	8	5	9
7	9	8	2	6	5	4	1	3
2	6	9	5	3	7	1	8	4
4	8	1	6	2	9	5	3	7
3	5	7	8	4	1	9	6	2

484

3	4	9	6	8	2	1	7	5
6	2	5	4	1	7	9	8	3
8	7	1	5	3	9	4	2	6
7	6	3	1	4	5	2	9	8
1	9	4	8	2	6	5	3	7
2	5	8	7	9	3	6	4	1
9	8	6	2	7	1	3	5	4
4	1	2	3	5	8	7	6	9
5	3	7	9	6	4	8	1	2

485

9	5	1	7	6	3	2	4	8
7	6	4	2	5	8	1	9	3
2	8	3	4	1	9	5	7	6
4	2	9	8	7	5	3	6	1
1	7	5	6	3	2	4	8	9
8	3	6	9	4	1	7	2	5
5	4	8	3	9	7	6	1	2
3	9	7	1	2	6	8	5	4
6	1	2	5	8	4	9	3	7

486

6	8	5	1	4	3	7	9	2
2	4	7	6	5	9	8	3	1
3	9	1	7	8	2	4	6	5
5	7	3	8	2	6	1	4	9
9	2	6	4	1	5	3	7	8
8	1	4	9	3	7	5	2	6
7	6	8	3	9	1	2	5	4
4	3	2	5	6	8	9	1	7
1	5	9	2	7	4	6	8	3

487

9	8	2	7	3	4	5	1	6
3	1	6	5	9	8	2	7	4
4	7	5	2	6	1	3	8	9
7	4	9	1	5	2	8	6	3
2	5	1	3	8	6	4	9	7
6	3	8	4	7	9	1	5	2
1	9	4	6	2	5	7	3	8
8	2	7	9	1	3	6	4	5
5	6	3	8	4	7	9	2	1

488

3	8	2	7	1	9	6	5	4
6	7	1	5	4	8	2	3	9
9	4	5	6	3	2	7	1	8
4	2	3	9	7	5	8	6	1
1	5	9	4	8	6	3	7	2
8	6	7	1	2	3	4	9	5
2	1	6	8	9	7	5	4	3
5	3	4	2	6	1	9	8	7
7	9	8	3	5	4	1	2	6

489

4	8	9	6	7	5	3	2	1
3	5	6	4	1	2	7	8	9
7	2	1	8	3	9	5	6	4
2	3	5	7	9	1	6	4	8
6	9	4	5	8	3	1	7	2
8	1	7	2	4	6	9	5	3
9	7	8	1	5	4	2	3	6
1	4	2	3	6	7	8	9	5
5	6	3	9	2	8	4	1	7

490

3	8	5	6	4	2	1	9	7
1	9	7	8	5	3	6	2	4
6	2	4	1	7	9	8	5	3
8	3	6	4	2	7	9	1	5
7	1	2	9	8	5	3	4	6
5	4	9	3	1	6	7	8	2
9	7	1	2	6	4	5	3	8
2	5	8	7	3	1	4	6	9
4	6	3	5	9	8	2	7	1

491

1	8	3	6	5	9	4	7	2
4	7	5	8	1	2	9	3	6
9	6	2	3	4	7	5	8	1
5	3	4	2	6	8	7	1	9
8	1	6	9	7	4	3	2	5
7	2	9	1	3	5	6	4	8
2	4	7	5	8	6	1	9	3
3	5	8	7	9	1	2	6	4
6	9	1	4	2	3	8	5	7

492

2	7	3	1	5	8	9	4	6
4	9	1	6	7	2	8	3	5
8	5	6	9	3	4	2	7	1
3	8	7	4	6	9	1	5	2
9	6	2	3	1	5	4	8	7
1	4	5	8	2	7	6	9	3
5	3	4	2	8	1	7	6	9
6	2	9	7	4	3	5	1	8
7	1	8	5	9	6	3	2	4

493

8	5	6	4	2	7	3	9	1
4	1	7	3	8	9	6	5	2
2	3	9	1	6	5	7	8	4
9	2	1	7	3	6	8	4	5
6	4	8	5	1	2	9	3	7
5	7	3	9	4	8	1	2	6
3	9	4	6	5	1	2	7	8
1	8	5	2	7	3	4	6	9
7	6	2	8	9	4	5	1	3

494

3	8	5	9	1	6	4	7	2
6	4	2	3	7	5	9	8	1
7	9	1	4	8	2	5	3	6
1	3	4	5	6	9	8	2	7
8	5	7	2	4	1	3	6	9
2	6	9	8	3	7	1	4	5
9	1	8	7	2	4	6	5	3
5	2	3	6	9	8	7	1	4
4	7	6	1	5	3	2	9	8

495

6	4	8	3	9	5	2	1	7
3	9	2	4	7	1	5	6	8
5	7	1	2	8	6	9	3	4
9	2	6	8	3	7	1	4	5
7	1	4	6	5	2	3	8	9
8	5	3	9	1	4	7	2	6
2	6	9	7	4	3	8	5	1
1	3	7	5	6	8	4	9	2
4	8	5	1	2	9	6	7	3

496

8	3	4	9	2	5	6	7	1
7	5	1	8	6	4	2	3	9
9	6	2	3	7	1	5	4	8
6	9	7	4	3	8	1	2	5
1	8	3	2	5	9	7	6	4
2	4	5	6	1	7	9	8	3
4	2	6	1	9	3	8	5	7
3	7	9	5	8	6	4	1	2
5	1	8	7	4	2	3	9	6

497

4	7	8	6	5	1	3	9	2
5	6	3	2	9	7	1	8	4
2	1	9	8	4	3	6	5	7
1	3	6	5	7	8	2	4	9
8	4	7	9	1	2	5	6	3
9	5	2	4	3	6	7	1	8
6	2	5	7	8	9	4	3	1
7	8	1	3	6	4	9	2	5
3	9	4	1	2	5	8	7	6

498

7	8	2	5	4	3	6	9	1
1	9	4	6	2	8	7	5	3
6	3	5	9	7	1	8	4	2
4	7	1	8	3	9	2	6	5
9	5	8	2	6	7	3	1	4
2	6	3	1	5	4	9	8	7
5	1	6	3	9	2	4	7	8
8	2	7	4	1	6	5	3	9
3	4	9	7	8	5	1	2	6

499

8	4	6	9	7	3	5	1	2
7	1	5	4	8	2	9	6	3
2	9	3	5	6	1	7	8	4
5	7	2	3	1	9	8	4	6
1	6	9	8	2	4	3	5	7
4	3	8	7	5	6	1	2	9
3	5	4	6	9	8	2	7	1
9	8	1	2	4	7	6	3	5
6	2	7	1	3	5	4	9	8

500

1	9	4	3	8	7	6	2	5
3	2	8	4	6	5	9	7	1
6	5	7	2	9	1	4	8	3
8	6	3	1	7	2	5	4	9
9	4	2	5	3	6	7	1	8
5	7	1	8	4	9	3	6	2
4	3	5	7	1	8	2	9	6
2	1	6	9	5	4	8	3	7
7	8	9	6	2	3	1	5	4

501

4	5	9	6	2	8	7	3	1
6	1	3	7	9	4	2	8	5
2	8	7	3	5	1	9	4	6
5	6	8	9	3	2	4	1	7
9	2	4	5	1	7	8	6	3
7	3	1	8	4	6	5	2	9
8	7	2	1	6	9	3	5	4
3	4	6	2	7	5	1	9	8
1	9	5	4	8	3	6	7	2

502

6	2	9	5	4	7	3	1	8
7	3	4	2	8	1	6	9	5
5	8	1	3	6	9	4	2	7
3	1	2	8	7	4	9	5	6
8	9	6	1	5	2	7	4	3
4	5	7	6	9	3	2	8	1
2	7	3	9	1	5	8	6	4
9	6	5	4	3	8	1	7	2
1	4	8	7	2	6	5	3	9

503

3	5	6	4	7	2	9	8	1
1	4	7	9	8	3	6	5	2
9	8	2	5	6	1	7	3	4
6	3	5	7	1	9	4	2	8
2	9	8	3	5	4	1	7	6
4	7	1	6	2	8	3	9	5
8	2	3	1	9	6	5	4	7
7	1	9	2	4	5	8	6	3
5	6	4	8	3	7	2	1	9

504

7	2	6	5	9	4	8	1	3
9	5	1	3	2	8	6	7	4
3	4	8	1	7	6	9	2	5
1	6	2	4	5	9	3	8	7
5	7	3	6	8	2	4	9	1
8	9	4	7	1	3	5	6	2
6	1	7	9	3	5	2	4	8
2	3	9	8	4	1	7	5	6
4	8	5	2	6	7	1	3	9

505

8	6	4	3	5	2	9	7	1
5	9	7	6	1	4	3	8	2
1	3	2	9	7	8	5	6	4
7	2	5	8	4	9	1	3	6
6	4	1	2	3	7	8	5	9
9	8	3	5	6	1	2	4	7
4	5	9	7	2	3	6	1	8
3	1	8	4	9	6	7	2	5
2	7	6	1	8	5	4	9	3

506

9	7	3	1	6	5	8	2	4
2	5	8	7	3	4	9	6	1
4	6	1	9	8	2	5	3	7
3	1	4	2	9	6	7	8	5
7	2	6	5	1	8	4	9	3
8	9	5	3	4	7	6	1	2
6	3	2	4	7	9	1	5	8
1	8	7	6	5	3	2	4	9
5	4	9	8	2	1	3	7	6

507

4	2	8	5	3	6	9	7	1
1	3	6	4	9	7	8	5	2
5	9	7	1	8	2	6	4	3
3	5	4	6	7	8	2	1	9
6	1	2	9	4	3	5	8	7
8	7	9	2	1	5	4	3	6
2	6	1	7	5	4	3	9	8
9	4	3	8	6	1	7	2	5
7	8	5	3	2	9	1	6	4

508

5	6	8	9	1	2	3	4	7
9	2	3	5	7	4	1	6	8
1	7	4	3	8	6	2	9	5
4	1	9	2	5	3	8	7	6
2	8	6	1	4	7	9	5	3
3	5	7	6	9	8	4	1	2
7	3	2	4	6	9	5	8	1
8	9	5	7	3	1	6	2	4
6	4	1	8	2	5	7	3	9

509

9	7	8	4	1	3	6	2	5
5	6	3	9	8	2	4	7	1
2	4	1	5	6	7	9	8	3
1	8	7	2	4	6	5	3	9
6	2	5	8	3	9	7	1	4
4	3	9	7	5	1	8	6	2
8	1	6	3	9	4	2	5	7
7	5	4	1	2	8	3	9	6
3	9	2	6	7	5	1	4	8

510

2	5	4	3	7	6	9	8	1
3	6	8	5	1	9	4	7	2
9	7	1	4	2	8	6	3	5
1	2	9	7	8	4	3	5	6
5	3	7	6	9	1	8	2	4
8	4	6	2	5	3	1	9	7
7	9	3	1	4	2	5	6	8
6	1	2	8	3	5	7	4	9
4	8	5	9	6	7	2	1	3

511

2	5	1	3	7	9	4	6	8
4	8	9	2	6	5	1	3	7
7	6	3	4	8	1	9	2	5
5	4	8	6	3	2	7	1	9
9	7	6	5	1	8	3	4	2
3	1	2	7	9	4	8	5	6
6	9	4	8	5	3	2	7	1
1	3	5	9	2	7	6	8	4
8	2	7	1	4	6	5	9	3

512

2	1	3	8	4	9	5	6	7
7	4	9	5	6	1	2	3	8
6	8	5	3	7	2	1	9	4
1	3	2	6	5	7	8	4	9
4	6	7	1	9	8	3	2	5
9	5	8	2	3	4	6	7	1
8	7	1	9	2	3	4	5	6
5	2	4	7	8	6	9	1	3
3	9	6	4	1	5	7	8	2

513

3	4	6	8	5	7	9	1	2
7	1	5	2	9	3	4	8	6
9	2	8	6	4	1	3	7	5
5	7	3	9	2	4	8	6	1
4	6	1	3	8	5	2	9	7
2	8	9	1	7	6	5	3	4
8	9	7	4	6	2	1	5	3
6	3	4	5	1	9	7	2	8
1	5	2	7	3	8	6	4	9

514

2	6	7	9	1	3	4	5	8
4	5	9	8	6	7	3	2	1
8	3	1	2	5	4	9	7	6
6	1	4	7	3	9	5	8	2
3	8	2	1	4	5	6	9	7
9	7	5	6	8	2	1	4	3
7	4	8	3	9	6	2	1	5
5	2	6	4	7	1	8	3	9
1	9	3	5	2	8	7	6	4

515

7	4	1	2	8	6	5	3	9
2	5	8	9	3	7	1	6	4
3	9	6	5	1	4	7	2	8
5	1	3	6	4	8	9	7	2
8	6	7	1	9	2	3	4	5
4	2	9	7	5	3	8	1	6
9	3	5	4	6	1	2	8	7
1	7	4	8	2	9	6	5	3
6	8	2	3	7	5	4	9	1

516

6	1	2	8	7	9	5	3	4
9	4	3	6	5	2	1	7	8
7	5	8	1	4	3	2	6	9
4	8	6	9	2	7	3	1	5
1	9	7	5	3	6	4	8	2
2	3	5	4	1	8	7	9	6
8	7	4	3	9	5	6	2	1
3	6	1	2	8	4	9	5	7
5	2	9	7	6	1	8	4	3

517

9	3	2	7	1	4	5	8	6
6	4	5	8	2	9	7	3	1
7	1	8	3	5	6	2	9	4
8	6	3	9	7	2	4	1	5
4	9	7	1	3	5	8	6	2
2	5	1	4	6	8	9	7	3
5	8	6	2	9	1	3	4	7
3	2	4	6	8	7	1	5	9
1	7	9	5	4	3	6	2	8

518

7	8	2	3	5	4	6	9	1
9	3	1	2	6	7	5	4	8
5	6	4	8	1	9	3	2	7
1	5	3	4	2	6	7	8	9
2	7	9	5	8	3	4	1	6
8	4	6	9	7	1	2	5	3
6	1	8	7	4	2	9	3	5
3	2	5	6	9	8	1	7	4
4	9	7	1	3	5	8	6	2

519

5	1	2	7	3	8	9	6	4
8	9	3	6	4	2	5	1	7
6	4	7	9	1	5	8	3	2
3	6	8	4	9	7	2	5	1
4	2	1	5	6	3	7	9	8
7	5	9	8	2	1	3	4	6
9	8	4	3	7	6	1	2	5
1	3	5	2	8	4	6	7	9
2	7	6	1	5	9	4	8	3

520

3	9	4	1	6	2	8	5	7
1	5	2	9	8	7	3	4	6
8	7	6	3	4	5	2	9	1
5	3	1	8	7	4	9	6	2
9	2	7	5	1	6	4	8	3
6	4	8	2	3	9	7	1	5
2	8	5	6	9	3	1	7	4
7	1	3	4	5	8	6	2	9
4	6	9	7	2	1	5	3	8

521

8	1	3	2	7	5	4	9	6
9	5	4	1	6	3	8	2	7
2	6	7	9	8	4	5	3	1
7	3	9	5	1	6	2	8	4
1	4	2	8	3	9	7	6	5
6	8	5	4	2	7	9	1	3
3	9	6	7	5	2	1	4	8
5	2	8	6	4	1	3	7	9
4	7	1	3	9	8	6	5	2

522

6	3	7	2	8	4	5	1	9
4	9	2	5	6	1	3	7	8
1	8	5	3	9	7	6	2	4
7	2	3	8	4	6	1	9	5
8	4	9	7	1	5	2	3	6
5	1	6	9	3	2	8	4	7
3	5	4	6	2	9	7	8	1
9	6	8	1	7	3	4	5	2
2	7	1	4	5	8	9	6	3

523

5	4	2	9	8	7	6	1	3
1	7	9	3	6	2	8	5	4
8	3	6	4	1	5	9	7	2
9	5	4	2	3	6	1	8	7
3	6	8	7	4	1	2	9	5
7	2	1	5	9	8	3	4	6
6	9	3	8	5	4	7	2	1
4	1	7	6	2	9	5	3	8
2	8	5	1	7	3	4	6	9

524

4	1	7	9	3	5	2	6	8
3	5	6	7	2	8	9	1	4
8	2	9	4	6	1	7	3	5
6	7	8	5	9	2	1	4	3
5	3	2	8	1	4	6	7	9
1	9	4	6	7	3	8	5	2
9	4	5	1	8	7	3	2	6
2	6	1	3	4	9	5	8	7
7	8	3	2	5	6	4	9	1

525

9	7	1	8	2	3	4	6	5
3	4	6	9	5	7	1	2	8
5	2	8	6	1	4	3	7	9
7	3	4	5	8	1	6	9	2
1	9	5	7	6	2	8	3	4
6	8	2	4	3	9	5	1	7
4	5	3	2	7	6	9	8	1
8	6	7	1	9	5	2	4	3
2	1	9	3	4	8	7	5	6

526

1	5	9	3	4	2	7	6	8
2	3	6	7	8	5	9	4	1
8	7	4	9	1	6	5	3	2
4	1	5	6	3	8	2	9	7
9	6	8	5	2	7	3	1	4
7	2	3	4	9	1	6	8	5
5	9	1	2	6	4	8	7	3
3	8	7	1	5	9	4	2	6
6	4	2	8	7	3	1	5	9

527

9	7	1	4	3	6	8	2	5
5	2	6	9	7	8	4	1	3
3	4	8	1	5	2	9	7	6
7	3	5	2	8	9	1	6	4
1	8	2	5	6	4	3	9	7
6	9	4	3	1	7	2	5	8
4	5	3	6	2	1	7	8	9
8	1	9	7	4	5	6	3	2
2	6	7	8	9	3	5	4	1

528

1	4	5	7	8	6	3	9	2
6	3	7	4	2	9	8	5	1
9	2	8	3	1	5	4	7	6
4	5	9	8	3	1	6	2	7
8	7	1	9	6	2	5	3	4
3	6	2	5	7	4	1	8	9
5	8	6	1	9	7	2	4	3
7	1	4	2	5	3	9	6	8
2	9	3	6	4	8	7	1	5

529

3	9	4	1	2	8	6	7	5
5	6	8	9	7	4	3	1	2
1	7	2	6	5	3	4	8	9
4	3	6	8	1	5	2	9	7
8	2	1	4	9	7	5	6	3
7	5	9	2	3	6	1	4	8
2	1	3	7	6	9	8	5	4
9	8	5	3	4	1	7	2	6
6	4	7	5	8	2	9	3	1

530

9	1	6	2	8	7	5	3	4
5	8	7	3	4	9	2	1	6
4	3	2	5	1	6	8	9	7
8	6	3	9	7	2	4	5	1
1	7	4	8	5	3	9	6	2
2	5	9	4	6	1	3	7	8
6	9	8	7	2	5	1	4	3
3	2	1	6	9	4	7	8	5
7	4	5	1	3	8	6	2	9

531

9	6	3	4	1	8	5	7	2
4	8	7	5	9	2	6	1	3
2	5	1	3	6	7	8	9	4
7	1	4	9	2	6	3	8	5
6	3	9	1	8	5	2	4	7
8	2	5	7	3	4	1	6	9
3	7	8	6	5	9	4	2	1
1	4	6	2	7	3	9	5	8
5	9	2	8	4	1	7	3	6

532

2	4	9	5	1	7	6	3	8
3	6	1	9	2	8	5	7	4
8	5	7	4	3	6	1	2	9
1	7	5	3	8	4	9	6	2
4	9	2	6	7	1	8	5	3
6	8	3	2	5	9	7	4	1
9	2	4	1	6	5	3	8	7
7	3	6	8	9	2	4	1	5
5	1	8	7	4	3	2	9	6

533

3	2	6	7	5	8	1	4	9
1	4	8	3	6	9	5	2	7
9	5	7	4	2	1	8	3	6
4	8	9	6	3	2	7	1	5
6	7	3	1	4	5	2	9	8
5	1	2	9	8	7	4	6	3
8	9	4	5	1	3	6	7	2
7	6	5	2	9	4	3	8	1
2	3	1	8	7	6	9	5	4

534

8	4	7	6	9	5	1	2	3
5	1	6	3	4	2	8	7	9
2	3	9	8	1	7	6	4	5
4	6	5	7	2	3	9	8	1
9	2	3	1	8	4	7	5	6
7	8	1	5	6	9	2	3	4
6	5	2	9	3	8	4	1	7
3	9	4	2	7	1	5	6	8
1	7	8	4	5	6	3	9	2

535

6	2	1	3	7	5	8	9	4
8	4	5	9	2	6	3	1	7
9	3	7	1	4	8	6	2	5
1	7	9	5	3	4	2	6	8
5	8	2	7	6	1	4	3	9
3	6	4	2	8	9	5	7	1
2	9	3	4	5	7	1	8	6
4	1	6	8	9	3	7	5	2
7	5	8	6	1	2	9	4	3

536

5	7	4	1	2	8	9	3	6
2	1	9	4	6	3	8	7	5
8	6	3	5	7	9	1	2	4
9	5	6	8	3	1	2	4	7
1	8	2	7	4	6	5	9	3
3	4	7	2	9	5	6	8	1
7	2	5	9	1	4	3	6	8
4	3	8	6	5	2	7	1	9
6	9	1	3	8	7	4	5	2

537

8	4	1	6	7	9	2	3	5
2	9	5	3	4	1	8	7	6
6	7	3	8	2	5	9	4	1
7	1	2	9	5	4	6	8	3
3	6	4	7	1	8	5	2	9
5	8	9	2	6	3	4	1	7
9	2	8	5	3	7	1	6	4
1	3	6	4	9	2	7	5	8
4	5	7	1	8	6	3	9	2

538

5	1	9	8	2	7	6	4	3
3	4	7	5	9	6	8	2	1
6	2	8	1	3	4	7	9	5
8	3	5	7	4	1	2	6	9
4	7	1	2	6	9	3	5	8
2	9	6	3	8	5	4	1	7
1	5	2	6	7	3	9	8	4
7	8	4	9	1	2	5	3	6
9	6	3	4	5	8	1	7	2

539

3	8	2	7	1	4	5	6	9
9	6	1	3	5	8	4	7	2
4	7	5	2	9	6	3	1	8
6	3	7	5	8	2	9	4	1
2	5	9	4	7	1	6	8	3
8	1	4	9	6	3	7	2	5
5	9	6	1	2	7	8	3	4
7	2	3	8	4	9	1	5	6
1	4	8	6	3	5	2	9	7

540

3	9	4	7	2	6	8	1	5
5	1	2	3	8	9	6	7	4
8	6	7	5	4	1	2	9	3
7	4	8	1	3	2	9	5	6
2	3	6	9	5	8	7	4	1
1	5	9	6	7	4	3	8	2
6	8	5	4	9	3	1	2	7
9	7	3	2	1	5	4	6	8
4	2	1	8	6	7	5	3	9

541

6	3	8	1	9	7	2	5	4
4	7	9	8	5	2	6	3	1
5	2	1	4	3	6	7	8	9
8	9	7	5	6	3	1	4	2
1	4	3	7	2	8	5	9	6
2	5	6	9	4	1	3	7	8
3	8	4	2	1	5	9	6	7
9	1	5	6	7	4	8	2	3
7	6	2	3	8	9	4	1	5

542

4	3	9	1	2	7	8	5	6
7	1	6	5	8	3	9	2	4
2	8	5	4	9	6	3	1	7
5	6	3	7	4	1	2	9	8
9	7	2	6	3	8	1	4	5
8	4	1	9	5	2	6	7	3
1	2	7	8	6	4	5	3	9
3	9	8	2	7	5	4	6	1
6	5	4	3	1	9	7	8	2

543

4	1	2	6	5	3	9	8	7
5	3	7	9	8	2	1	4	6
8	9	6	7	1	4	5	3	2
7	8	1	3	9	6	4	2	5
2	5	4	8	7	1	6	9	3
3	6	9	4	2	5	7	1	8
1	4	8	5	3	7	2	6	9
6	7	3	2	4	9	8	5	1
9	2	5	1	6	8	3	7	4

544

1	4	3	5	7	6	2	9	8
5	7	2	1	8	9	4	6	3
6	8	9	4	2	3	1	5	7
7	1	8	3	9	4	6	2	5
2	3	5	7	6	1	8	4	9
9	6	4	8	5	2	7	3	1
3	5	7	6	4	8	9	1	2
8	9	6	2	1	5	3	7	4
4	2	1	9	3	7	5	8	6

545

4	3	6	9	2	8	5	7	1
7	9	5	6	4	1	8	2	3
2	1	8	5	7	3	4	6	9
5	7	1	2	6	9	3	8	4
8	4	2	7	3	5	1	9	6
9	6	3	8	1	4	2	5	7
1	8	7	4	5	6	9	3	2
6	5	4	3	9	2	7	1	8
3	2	9	1	8	7	6	4	5

546

2	6	1	4	8	7	5	9	3
8	9	4	3	2	5	7	1	6
7	5	3	6	9	1	2	4	8
4	3	9	2	7	8	1	6	5
1	8	5	9	6	3	4	7	2
6	7	2	1	5	4	3	8	9
9	4	6	5	1	2	8	3	7
3	2	7	8	4	9	6	5	1
5	1	8	7	3	6	9	2	4

547

2	4	3	1	6	8	7	5	9
7	1	6	5	2	9	8	3	4
9	5	8	3	4	7	1	2	6
1	7	4	2	8	3	9	6	5
6	3	9	4	5	1	2	8	7
5	8	2	9	7	6	4	1	3
4	6	1	7	3	2	5	9	8
3	9	5	8	1	4	6	7	2
8	2	7	6	9	5	3	4	1

548

6	3	4	5	7	1	8	9	2
9	7	1	8	3	2	4	5	6
5	8	2	4	6	9	7	3	1
8	5	7	6	1	3	2	4	9
4	1	3	2	9	8	6	7	5
2	9	6	7	4	5	3	1	8
1	2	9	3	8	7	5	6	4
3	6	8	1	5	4	9	2	7
7	4	5	9	2	6	1	8	3

549

9	7	4	2	5	1	6	8	3
3	6	1	7	9	8	5	2	4
2	8	5	4	3	6	1	7	9
1	5	7	3	4	9	8	6	2
6	4	2	5	8	7	9	3	1
8	9	3	1	6	2	4	5	7
7	3	6	8	1	4	2	9	5
4	2	9	6	7	5	3	1	8
5	1	8	9	2	3	7	4	6

550

3	6	2	9	4	1	8	5	7
5	1	7	2	6	8	3	9	4
9	8	4	3	7	5	1	2	6
8	7	5	6	2	3	4	1	9
6	2	9	8	1	4	5	7	3
1	4	3	7	5	9	6	8	2
4	9	8	5	3	7	2	6	1
2	5	1	4	9	6	7	3	8
7	3	6	1	8	2	9	4	5

551

9	2	1	8	4	6	5	7	3
5	4	6	9	3	7	2	8	1
3	8	7	2	1	5	6	4	9
1	7	3	5	6	9	4	2	8
4	5	8	1	7	2	9	3	6
6	9	2	3	8	4	7	1	5
7	3	4	6	5	1	8	9	2
8	6	9	4	2	3	1	5	7
2	1	5	7	9	8	3	6	4

552

7	2	1	9	6	8	4	3	5
8	3	6	7	4	5	9	1	2
9	5	4	1	2	3	6	7	8
1	9	7	2	8	6	3	5	4
2	6	3	4	5	7	1	8	9
5	4	8	3	1	9	7	2	6
3	8	5	6	7	4	2	9	1
4	1	9	5	3	2	8	6	7
6	7	2	8	9	1	5	4	3

553

1	4	5	3	9	8	7	2	6
7	3	2	5	6	1	9	8	4
8	9	6	2	4	7	5	1	3
9	2	8	7	1	4	3	6	5
5	7	3	9	2	6	1	4	8
6	1	4	8	5	3	2	7	9
3	8	1	4	7	5	6	9	2
4	6	9	1	3	2	8	5	7
2	5	7	6	8	9	4	3	1

554

4	5	8	1	2	7	3	6	9
9	7	2	5	6	3	8	4	1
1	6	3	8	9	4	2	7	5
2	8	1	3	7	5	6	9	4
6	3	5	4	1	9	7	2	8
7	4	9	2	8	6	1	5	3
8	9	6	7	5	1	4	3	2
5	2	4	6	3	8	9	1	7
3	1	7	9	4	2	5	8	6

555

1	3	2	9	5	8	4	6	7
8	6	9	1	4	7	3	5	2
4	5	7	2	3	6	9	1	8
7	8	5	3	1	4	6	2	9
6	2	4	8	9	5	7	3	1
9	1	3	7	6	2	5	8	4
2	4	6	5	8	9	1	7	3
3	9	8	6	7	1	2	4	5
5	7	1	4	2	3	8	9	6

556

7	9	3	5	2	4	6	8	1
4	1	2	6	7	8	5	3	9
5	6	8	9	3	1	2	4	7
1	5	7	4	8	9	3	6	2
9	2	4	3	1	6	7	5	8
8	3	6	2	5	7	9	1	4
3	4	1	7	9	5	8	2	6
2	8	9	1	6	3	4	7	5
6	7	5	8	4	2	1	9	3

✔

557

9	3	7	6	2	1	4	5	8
5	4	6	3	8	9	2	7	1
2	8	1	7	4	5	6	3	9
6	2	8	1	7	3	5	9	4
7	1	5	9	6	4	3	8	2
4	9	3	2	5	8	7	1	6
3	5	2	8	1	6	9	4	7
1	7	9	4	3	2	8	6	5
8	6	4	5	9	7	1	2	3

558

9	6	3	4	2	1	8	5	7
8	2	1	7	5	9	4	3	6
5	4	7	8	6	3	1	2	9
3	7	5	6	1	8	9	4	2
4	9	6	5	7	2	3	1	8
2	1	8	3	9	4	6	7	5
1	5	9	2	3	6	7	8	4
7	3	4	9	8	5	2	6	1
6	8	2	1	4	7	5	9	3

559

7	9	6	4	2	8	3	1	5
2	1	5	3	9	6	7	8	4
8	3	4	7	1	5	2	6	9
3	5	2	6	7	4	8	9	1
4	8	1	2	3	9	6	5	7
6	7	9	5	8	1	4	3	2
1	2	7	9	6	3	5	4	8
9	4	3	8	5	2	1	7	6
5	6	8	1	4	7	9	2	3

560

1	2	4	6	7	9	3	8	5
6	8	5	4	3	2	9	1	7
3	7	9	1	5	8	2	6	4
2	3	8	5	9	7	1	4	6
9	4	1	3	8	6	7	5	2
5	6	7	2	1	4	8	3	9
8	5	2	7	6	1	4	9	3
7	1	6	9	4	3	5	2	8
4	9	3	8	2	5	6	7	1

561

1	4	8	9	7	3	6	2	5
7	3	6	1	2	5	8	9	4
2	5	9	8	4	6	7	3	1
8	6	7	2	5	4	3	1	9
3	9	2	6	1	8	5	4	7
4	1	5	7	3	9	2	6	8
9	7	1	5	6	2	4	8	3
5	2	4	3	8	1	9	7	6
6	8	3	4	9	7	1	5	2

562

2	1	4	6	8	3	9	5	7
8	7	6	9	2	5	1	4	3
5	9	3	7	4	1	2	6	8
6	5	7	1	9	2	8	3	4
1	4	8	3	7	6	5	2	9
9	3	2	4	5	8	7	1	6
4	2	5	8	3	7	6	9	1
7	6	9	2	1	4	3	8	5
3	8	1	5	6	9	4	7	2

563

9	7	4	8	5	3	1	2	6
1	2	3	9	7	6	5	8	4
5	8	6	2	1	4	9	3	7
3	6	5	1	8	9	7	4	2
7	4	1	3	6	2	8	5	9
8	9	2	7	4	5	6	1	3
2	1	8	4	9	7	3	6	5
6	3	7	5	2	8	4	9	1
4	5	9	6	3	1	2	7	8

564

6	8	7	5	9	1	4	2	3
5	4	9	2	3	7	6	1	8
3	1	2	8	6	4	9	5	7
7	3	8	1	2	9	5	4	6
9	5	4	3	7	6	1	8	2
1	2	6	4	8	5	7	3	9
8	7	1	6	5	2	3	9	4
4	9	3	7	1	8	2	6	5
2	6	5	9	4	3	8	7	1

565

3	9	7	8	6	2	1	4	5
4	8	1	7	3	5	2	6	9
2	5	6	4	9	1	7	8	3
5	6	3	1	8	4	9	7	2
7	2	9	3	5	6	4	1	8
8	1	4	2	7	9	5	3	6
6	7	2	9	4	8	3	5	1
1	3	5	6	2	7	8	9	4
9	4	8	5	1	3	6	2	7

566

3	8	1	5	9	7	4	6	2
9	2	6	4	1	8	3	7	5
7	4	5	2	6	3	1	8	9
6	3	7	9	4	2	8	5	1
4	1	2	3	8	5	7	9	6
5	9	8	1	7	6	2	4	3
8	7	9	6	3	1	5	2	4
2	6	3	8	5	4	9	1	7
1	5	4	7	2	9	6	3	8

567

1	9	2	7	5	4	6	3	8
3	8	4	2	6	9	5	7	1
5	6	7	1	3	8	4	2	9
6	1	5	9	4	3	7	8	2
8	2	3	5	7	6	1	9	4
4	7	9	8	2	1	3	5	6
2	3	8	4	1	5	9	6	7
7	4	6	3	9	2	8	1	5
9	5	1	6	8	7	2	4	3

568

8	2	9	1	3	4	5	6	7
7	5	1	6	8	9	3	2	4
4	6	3	2	7	5	1	8	9
6	1	7	5	9	8	4	3	2
5	3	2	7	4	1	6	9	8
9	8	4	3	6	2	7	5	1
1	9	8	4	5	6	2	7	3
2	7	6	9	1	3	8	4	5
3	4	5	8	2	7	9	1	6

569

6	3	4	2	8	9	7	5	1
7	9	1	6	3	5	8	2	4
5	2	8	4	7	1	9	6	3
4	7	5	8	2	6	1	3	9
8	6	9	1	5	3	4	7	2
3	1	2	9	4	7	5	8	6
2	4	6	5	9	8	3	1	7
1	8	3	7	6	4	2	9	5
9	5	7	3	1	2	6	4	8

570

4	8	2	7	1	6	9	3	5
6	9	7	2	3	5	1	4	8
3	1	5	8	4	9	6	2	7
1	2	6	4	5	8	3	7	9
7	3	4	6	9	1	8	5	2
9	5	8	3	7	2	4	1	6
8	4	9	1	2	7	5	6	3
5	7	3	9	6	4	2	8	1
2	6	1	5	8	3	7	9	4

571

9	4	6	1	2	7	3	5	8
1	3	7	5	6	8	2	9	4
8	2	5	9	3	4	7	1	6
6	8	1	7	4	2	5	3	9
4	5	9	6	1	3	8	7	2
3	7	2	8	9	5	4	6	1
2	1	3	4	5	6	9	8	7
7	9	4	3	8	1	6	2	5
5	6	8	2	7	9	1	4	3

572

7	6	5	4	9	8	3	1	2
8	4	1	2	3	5	9	6	7
9	3	2	6	7	1	5	8	4
6	1	7	3	5	4	2	9	8
2	8	3	9	1	6	4	7	5
4	5	9	8	2	7	6	3	1
1	7	4	5	6	3	8	2	9
5	2	6	1	8	9	7	4	3
3	9	8	7	4	2	1	5	6

573

9	6	5	2	4	7	3	1	8
4	7	3	9	1	8	2	6	5
2	8	1	6	3	5	7	9	4
3	2	9	4	5	1	8	7	6
6	5	8	7	9	2	1	4	3
1	4	7	3	8	6	5	2	9
7	3	4	8	2	9	6	5	1
5	9	2	1	6	3	4	8	7
8	1	6	5	7	4	9	3	2

574

8	1	3	6	4	2	5	9	7
5	6	4	8	9	7	2	3	1
9	7	2	5	1	3	8	4	6
4	5	7	3	2	6	1	8	9
3	2	8	9	7	1	4	6	5
1	9	6	4	8	5	3	7	2
6	4	1	7	5	8	9	2	3
2	3	9	1	6	4	7	5	8
7	8	5	2	3	9	6	1	4

575

6	8	4	5	1	9	2	7	3
3	9	2	4	7	8	6	5	1
1	5	7	3	6	2	9	4	8
4	6	1	7	9	5	3	8	2
5	3	8	2	4	1	7	6	9
2	7	9	8	3	6	5	1	4
8	1	5	6	2	3	4	9	7
9	4	3	1	5	7	8	2	6
7	2	6	9	8	4	1	3	5

576

5	8	6	3	9	4	2	1	7
2	4	3	1	8	7	6	5	9
9	7	1	2	6	5	8	3	4
6	2	5	4	7	3	9	8	1
4	1	9	8	5	6	7	2	3
8	3	7	9	2	1	5	4	6
7	6	4	5	1	2	3	9	8
1	5	8	7	3	9	4	6	2
3	9	2	6	4	8	1	7	5

577

3	5	4	9	8	2	6	1	7
1	2	8	3	7	6	9	5	4
6	7	9	5	4	1	2	8	3
5	3	2	8	6	7	4	9	1
7	4	1	2	3	9	5	6	8
9	8	6	4	1	5	7	3	2
8	9	3	7	5	4	1	2	6
2	6	7	1	9	3	8	4	5
4	1	5	6	2	8	3	7	9

578

4	7	9	8	5	2	6	1	3
3	8	5	6	4	1	2	7	9
1	6	2	3	7	9	5	8	4
8	5	4	7	9	3	1	6	2
2	1	6	4	8	5	9	3	7
9	3	7	1	2	6	4	5	8
7	4	1	9	6	8	3	2	5
5	9	3	2	1	7	8	4	6
6	2	8	5	3	4	7	9	1

579

8	4	1	5	2	3	9	6	7
5	6	2	8	9	7	4	1	3
9	3	7	1	4	6	8	5	2
2	8	6	9	3	1	7	4	5
4	9	3	7	5	8	6	2	1
1	7	5	2	6	4	3	9	8
6	5	8	4	7	2	1	3	9
7	2	4	3	1	9	5	8	6
3	1	9	6	8	5	2	7	4

580

2	8	3	6	9	5	7	1	4
1	5	7	3	8	4	9	2	6
9	4	6	1	7	2	5	3	8
6	2	1	9	4	7	3	8	5
5	3	4	8	2	1	6	7	9
8	7	9	5	3	6	2	4	1
4	9	5	7	1	3	8	6	2
3	1	8	2	6	9	4	5	7
7	6	2	4	5	8	1	9	3

581

6	5	8	3	2	9	7	1	4
4	9	7	6	8	1	5	3	2
3	1	2	7	5	4	8	6	9
8	6	4	5	1	7	2	9	3
5	2	1	4	9	3	6	7	8
7	3	9	2	6	8	4	5	1
1	4	6	8	3	5	9	2	7
2	7	3	9	4	6	1	8	5
9	8	5	1	7	2	3	4	6

582

5	3	9	1	6	2	4	8	7
6	4	1	9	7	8	2	3	5
7	8	2	4	5	3	9	6	1
8	6	7	5	9	4	1	2	3
2	1	4	3	8	6	5	7	9
3	9	5	2	1	7	8	4	6
4	5	8	7	3	1	6	9	2
9	7	6	8	2	5	3	1	4
1	2	3	6	4	9	7	5	8

583

8	2	4	9	1	5	3	7	6
1	3	9	7	8	6	2	5	4
6	5	7	4	2	3	9	1	8
7	4	5	2	3	8	1	6	9
3	1	8	6	9	4	7	2	5
2	9	6	5	7	1	4	8	3
4	7	1	8	6	9	5	3	2
5	8	2	3	4	7	6	9	1
9	6	3	1	5	2	8	4	7

584

9	7	3	1	6	4	2	8	5
2	5	8	7	9	3	6	1	4
1	4	6	5	2	8	7	9	3
4	8	1	2	5	7	9	3	6
5	3	9	6	8	1	4	2	7
6	2	7	4	3	9	8	5	1
3	6	5	9	4	2	1	7	8
7	9	4	8	1	5	3	6	2
8	1	2	3	7	6	5	4	9

585

8	7	3	1	6	2	4	5	9
4	6	1	5	9	8	7	2	3
5	9	2	4	7	3	1	8	6
3	1	6	2	5	7	8	9	4
9	2	8	3	4	1	6	7	5
7	5	4	6	8	9	2	3	1
1	4	7	8	3	5	9	6	2
6	8	5	9	2	4	3	1	7
2	3	9	7	1	6	5	4	8

586

7	5	3	1	9	6	8	2	4
4	6	9	3	2	8	1	7	5
8	1	2	4	7	5	9	3	6
5	4	8	9	6	3	7	1	2
6	3	1	2	5	7	4	8	9
2	9	7	8	4	1	5	6	3
1	2	5	7	3	4	6	9	8
3	7	4	6	8	9	2	5	1
9	8	6	5	1	2	3	4	7

587

1	9	7	4	2	8	6	5	3
5	2	8	6	3	9	4	7	1
3	4	6	1	7	5	2	8	9
9	6	5	2	1	7	8	3	4
4	8	2	5	9	3	7	1	6
7	3	1	8	6	4	9	2	5
8	7	9	3	4	1	5	6	2
6	1	4	7	5	2	3	9	8
2	5	3	9	8	6	1	4	7

588

5	1	4	6	7	3	9	2	8
8	2	7	4	9	1	6	5	3
6	3	9	2	8	5	7	4	1
7	8	6	3	5	2	1	9	4
1	4	5	9	6	7	8	3	2
3	9	2	8	1	4	5	6	7
4	6	8	1	3	9	2	7	5
2	7	1	5	4	6	3	8	9
9	5	3	7	2	8	4	1	6

589

7	4	9	1	6	8	3	2	5
5	8	2	7	3	9	1	6	4
3	6	1	4	2	5	7	8	9
6	1	8	3	5	4	2	9	7
4	2	3	9	8	7	6	5	1
9	7	5	2	1	6	8	4	3
8	9	6	5	7	3	4	1	2
1	5	7	8	4	2	9	3	6
2	3	4	6	9	1	5	7	8

590

5	2	6	8	7	4	9	3	1
7	1	8	5	9	3	2	6	4
4	3	9	1	6	2	7	5	8
6	9	2	3	4	1	5	8	7
8	4	7	9	5	6	1	2	3
3	5	1	2	8	7	6	4	9
1	7	5	6	3	8	4	9	2
9	8	4	7	2	5	3	1	6
2	6	3	4	1	9	8	7	5

591

4	1	2	8	5	6	7	9	3
6	8	7	3	9	2	1	4	5
9	3	5	4	1	7	8	2	6
3	6	4	5	7	8	9	1	2
2	5	1	6	4	9	3	7	8
8	7	9	1	2	3	6	5	4
5	4	3	9	8	1	2	6	7
1	2	6	7	3	4	5	8	9
7	9	8	2	6	5	4	3	1

592

6	1	7	5	8	4	2	9	3
2	4	3	9	1	6	5	7	8
9	5	8	7	3	2	6	1	4
5	8	4	2	9	1	3	6	7
7	3	2	6	4	5	1	8	9
1	6	9	8	7	3	4	2	5
4	9	6	1	5	7	8	3	2
8	2	5	3	6	9	7	4	1
3	7	1	4	2	8	9	5	6

593

8	5	7	3	9	4	6	1	2
6	9	1	8	2	7	3	5	4
3	2	4	1	5	6	9	7	8
5	1	3	4	7	2	8	6	9
2	6	9	5	3	8	1	4	7
4	7	8	9	6	1	2	3	5
7	3	5	6	8	9	4	2	1
1	8	2	7	4	3	5	9	6
9	4	6	2	1	5	7	8	3

594

4	7	2	8	6	3	5	9	1
1	3	8	9	5	4	7	2	6
5	6	9	7	2	1	3	4	8
9	8	4	2	7	5	1	6	3
3	2	6	1	9	8	4	7	5
7	5	1	4	3	6	2	8	9
8	4	3	6	1	7	9	5	2
2	1	7	5	8	9	6	3	4
6	9	5	3	4	2	8	1	7

595

3	1	7	6	4	8	9	5	2
9	5	8	3	1	2	6	7	4
4	6	2	5	7	9	3	1	8
7	2	5	9	8	3	4	6	1
6	8	9	4	2	1	7	3	5
1	3	4	7	5	6	8	2	9
8	9	3	1	6	5	2	4	7
5	7	6	2	9	4	1	8	3
2	4	1	8	3	7	5	9	6

596

9	6	7	3	4	1	5	8	2
8	3	2	5	7	6	9	4	1
4	1	5	9	2	8	7	6	3
3	2	4	8	9	5	6	1	7
1	5	8	7	6	2	3	9	4
7	9	6	4	1	3	8	2	5
5	8	1	2	3	9	4	7	6
2	4	9	6	5	7	1	3	8
6	7	3	1	8	4	2	5	9

597

7	4	2	6	1	8	9	5	3
1	6	9	3	5	4	8	2	7
8	3	5	2	9	7	4	6	1
4	1	8	7	2	6	3	9	5
5	9	7	4	3	1	6	8	2
6	2	3	5	8	9	7	1	4
9	8	4	1	7	2	5	3	6
2	5	6	9	4	3	1	7	8
3	7	1	8	6	5	2	4	9

598

7	1	3	4	8	9	6	2	5
4	9	2	6	3	5	7	8	1
6	5	8	7	1	2	3	4	9
8	3	9	5	2	1	4	7	6
1	6	5	8	4	7	9	3	2
2	7	4	9	6	3	1	5	8
9	4	1	2	7	8	5	6	3
3	8	7	1	5	6	2	9	4
5	2	6	3	9	4	8	1	7

599

3	4	9	1	5	2	8	7	6
8	1	6	9	7	3	5	2	4
5	7	2	8	6	4	9	3	1
7	5	1	4	8	6	3	9	2
2	8	3	7	9	1	6	4	5
6	9	4	3	2	5	1	8	7
1	3	7	5	4	8	2	6	9
4	2	5	6	3	9	7	1	8
9	6	8	2	1	7	4	5	3

5	4	7	3	6	1	9	8	2
3	2	8	5	4	9	7	6	1
6	9	1	7	8	2	4	3	5
7	1	6	8	2	4	3	5	9
4	5	2	9	1	3	6	7	8
9	8	3	6	5	7	2	1	4
1	7	4	2	3	8	5	9	6
8	6	9	4	7	5	1	2	3
2	3	5	1	9	6	8	4	7

7	8	4	2	1	9	3	6	5
6	2	9	3	5	4	7	8	1
3	5	1	8	6	7	9	4	2
4	1	6	5	9	8	2	7	3
8	3	5	4	7	2	6	1	9
9	7	2	1	3	6	8	5	4
2	4	3	7	8	5	1	9	6
1	9	7	6	4	3	5	2	8
5	6	8	9	2	1	4	3	7

1

4	0	A	6	9	2	5	D	C	1	3	F	8	E	7	B
7	9	8	C	3	B	1	4	0	5	D	E	A	2	F	6
F	D	5	1	7	6	A	E	B	9	8	2	0	3	4	C
B	2	E	3	8	F	C	0	A	4	7	6	1	5	9	D
5	6	B	9	A	1	D	3	2	8	4	C	E	F	0	7
C	F	4	A	6	0	E	5	D	B	1	7	2	9	3	8
E	3	2	8	4	7	F	C	6	0	A	9	B	1	D	5
D	1	7	0	2	9	8	B	F	E	5	3	6	A	C	4
8	E	9	2	1	A	4	F	5	7	C	0	D	B	6	3
3	7	0	B	E	C	6	8	9	D	2	1	5	4	A	F
A	4	6	5	D	3	7	9	E	F	B	8	C	0	1	2
1	C	F	D	0	5	B	2	3	A	6	4	7	8	E	9
6	B	D	E	5	8	9	1	7	3	F	A	4	C	2	0
9	5	1	7	C	4	3	A	8	2	0	D	F	6	B	E
2	A	3	F	B	D	0	6	4	C	E	5	9	7	8	1
0	8	C	4	F	E	2	7	1	6	9	B	3	D	5	A

2

A	6	4	2	E	B	7	F	1	5	9	3	0	C	8	D
8	7	D	B	1	2	0	9	F	C	4	E	6	5	3	A
1	5	C	3	A	4	6	D	8	2	B	0	F	E	9	7
E	9	F	0	3	8	5	C	A	6	7	D	1	2	4	B
9	D	B	4	0	F	8	7	5	A	1	6	C	3	2	E
C	1	7	A	5	9	E	4	3	D	2	F	B	8	6	0
0	E	2	F	D	6	3	B	7	8	C	4	5	9	A	1
5	3	6	8	2	A	C	1	B	E	0	9	D	4	7	F
4	A	5	6	B	0	1	2	9	3	F	C	E	7	D	8
7	2	1	E	F	C	A	3	D	0	8	5	9	6	B	4
B	C	8	D	4	E	9	5	6	1	A	7	2	0	F	3
F	0	3	9	6	7	D	8	4	B	E	2	A	1	C	5
2	F	A	1	C	5	B	6	0	7	3	8	4	D	E	9
6	4	E	7	8	D	F	A	C	9	5	1	3	B	0	2
D	B	9	5	7	3	2	0	E	4	6	A	8	F	1	C
3	8	0	C	9	1	4	E	2	F	D	B	7	A	5	6

3

8	C	5	B	4	F	7	A	2	D	9	3	0	6	1	E
9	4	7	A	0	B	D	5	F	E	1	6	3	2	8	C
E	2	0	3	C	8	1	6	5	4	7	B	A	D	F	9
6	1	F	D	2	3	9	E	C	A	0	8	4	7	5	B
A	5	3	2	9	D	C	F	4	6	8	7	B	0	E	1
1	8	B	0	3	2	6	7	E	C	D	9	F	4	A	5
F	7	6	C	E	4	5	0	B	1	2	A	D	9	3	8
D	E	4	9	B	A	8	1	0	5	3	F	2	C	6	7
5	9	1	8	F	E	0	B	3	7	4	D	6	A	C	2
7	B	D	6	5	9	4	8	A	2	E	C	1	3	0	F
3	0	A	E	6	C	2	D	9	F	B	1	8	5	7	4
2	F	C	4	7	1	A	3	6	8	5	0	E	B	9	D
B	6	8	F	D	5	3	C	1	9	A	2	7	E	4	0
C	D	9	7	A	0	F	4	8	B	6	E	5	1	2	3
0	A	2	5	1	7	E	9	D	3	F	4	C	8	B	6
4	3	E	1	8	6	B	2	7	0	C	5	9	F	D	A

4

A	D	5	C	6	B	7	2	1	3	E	0	9	8	4	F
0	9	2	4	5	F	3	E	D	C	8	6	B	A	7	1
B	E	1	8	0	A	4	D	7	2	F	9	C	5	3	6
3	7	F	6	9	1	8	C	A	B	5	4	0	E	D	2
9	5	B	F	3	0	1	7	2	6	A	8	E	D	C	4
6	2	3	7	D	E	F	8	C	1	4	5	A	0	9	B
C	1	4	0	A	2	5	B	E	D	9	3	6	7	F	8
8	A	E	D	C	6	9	4	0	7	B	F	5	2	1	3
4	B	D	2	F	7	A	0	9	E	6	1	8	3	5	C
E	8	9	5	2	4	D	6	3	F	C	7	1	B	0	A
1	0	6	A	8	9	C	3	5	4	2	B	7	F	E	D
7	F	C	3	E	5	B	1	8	0	D	A	2	4	6	9
D	3	7	E	B	C	6	9	4	8	0	2	F	1	A	5
2	6	A	9	4	D	0	F	B	5	1	E	3	C	8	7
5	4	0	1	7	8	2	A	F	9	3	C	D	6	B	E
F	C	8	B	1	3	E	5	6	A	7	D	4	9	2	0

5

2	3	D	E	0	5	6	8	9	A	C	F	B	7	4	1
1	F	6	0	E	A	D	2	B	3	7	4	C	8	9	5
C	4	7	8	9	F	B	1	6	5	E	2	A	D	0	3
9	5	B	A	C	4	7	3	D	8	1	0	E	F	6	2
A	1	8	4	B	6	5	D	2	0	9	7	3	E	F	C
5	C	2	3	F	0	1	4	8	D	B	E	7	6	A	9
7	B	E	D	2	9	C	A	F	6	3	5	4	1	8	0
6	9	0	F	3	7	8	E	C	1	4	A	2	B	5	D
4	D	1	5	A	3	E	6	0	B	F	8	9	C	2	7
8	0	9	2	5	B	4	7	A	C	6	1	D	3	E	F
F	6	C	7	1	2	9	0	3	E	5	D	8	A	B	4
3	E	A	B	8	D	F	C	7	4	2	9	5	0	1	6
D	A	F	C	7	E	0	5	4	2	8	6	1	9	3	B
B	2	3	6	4	8	A	9	1	7	0	C	F	5	D	E
E	8	4	1	6	C	3	F	5	9	D	B	0	2	7	A
0	7	5	9	D	1	2	B	E	F	A	3	6	4	C	8

6

F	1	4	8	C	9	B	0	2	A	D	7	E	6	3	5
D	E	C	2	6	1	7	4	9	F	3	5	A	0	B	8
9	B	5	0	2	8	A	3	4	C	E	6	7	1	F	D
6	3	7	A	D	E	5	F	1	0	8	B	9	4	C	2
C	8	D	7	A	5	0	1	6	B	F	3	2	E	4	9
B	9	A	E	8	D	6	2	7	1	C	4	F	3	5	0
3	F	2	6	7	4	E	9	A	5	0	8	1	B	D	C
5	0	1	4	3	C	F	B	E	9	2	D	8	7	6	A
4	7	E	F	B	0	3	8	5	2	6	A	D	C	9	1
A	D	B	1	F	6	2	C	8	7	4	9	3	5	0	E
8	6	3	5	4	A	9	D	0	E	1	C	B	F	2	7
2	C	0	9	E	7	1	5	3	D	B	F	6	8	A	4
7	4	F	C	1	2	D	6	B	8	A	0	5	9	E	3
0	A	9	B	5	F	8	E	C	3	7	2	4	D	1	6
E	5	8	D	0	3	4	A	F	6	9	1	C	2	7	B
1	2	6	3	9	B	C	7	D	4	5	E	0	A	8	F

7

D	9	A	0	B	5	E	1	3	4	7	2	C	6	F	8
B	8	C	4	0	D	7	F	9	A	E	6	3	1	2	5
3	E	1	7	A	8	2	6	0	F	5	C	D	9	B	4
6	5	2	F	3	C	4	9	B	D	8	1	A	E	0	7
4	6	F	9	2	0	5	7	D	8	C	A	1	B	3	E
C	B	D	2	4	1	9	A	E	3	0	F	8	5	7	6
0	A	3	E	F	6	B	8	7	5	1	4	2	D	C	9
7	1	8	5	C	E	3	D	2	9	6	B	4	0	A	F
1	3	5	D	6	9	C	4	A	2	B	7	E	F	8	0
E	4	9	6	D	A	F	5	8	C	3	0	7	2	1	B
A	2	0	B	E	7	8	3	1	6	F	5	9	C	4	D
8	F	7	C	1	2	0	B	4	E	9	D	6	A	5	3
5	7	4	1	9	3	6	2	F	0	A	E	B	8	D	C
2	D	E	3	8	F	A	0	C	B	4	9	5	7	6	1
9	0	6	8	7	B	D	C	5	1	2	3	F	4	E	A
F	C	B	A	5	4	1	E	6	7	D	8	0	3	9	2

8

2	8	E	0	A	9	F	C	7	3	D	4	5	1	6	B
6	F	9	D	7	0	5	1	C	A	2	B	4	8	3	E
3	5	C	A	D	4	B	6	1	8	F	E	0	7	9	2
4	1	B	7	E	3	2	8	6	9	5	0	F	C	D	A
7	3	4	2	1	C	E	9	0	B	8	5	D	F	A	6
F	D	A	E	2	8	4	7	3	C	6	1	9	0	B	5
9	0	6	5	F	B	A	3	4	E	7	D	8	2	C	1
1	B	8	C	6	5	D	0	F	2	A	9	3	E	4	7
5	9	F	1	8	D	6	4	E	0	3	A	7	B	2	C
C	E	7	3	B	F	1	2	9	D	4	6	A	5	0	8
B	4	D	8	0	A	C	E	2	5	1	7	6	3	F	9
A	2	0	6	3	7	9	5	B	F	C	8	E	D	1	4
0	C	1	B	9	6	8	D	5	4	E	F	2	A	7	3
E	A	3	9	4	2	7	F	8	1	0	C	B	6	5	D
D	6	5	F	C	E	3	B	A	7	9	2	1	4	8	0
8	7	2	4	5	1	0	A	D	6	B	3	C	9	E	F

9

C	1	7	3	F	0	D	A	B	8	5	4	9	E	6	2
B	8	9	6	4	C	E	7	3	D	1	2	0	F	5	A
2	5	E	D	1	3	9	6	0	F	A	7	B	C	4	8
A	0	F	4	5	8	2	B	9	6	E	C	3	1	D	7
7	B	D	F	E	A	8	4	2	9	0	3	6	5	1	C
1	6	8	E	7	9	B	C	4	A	D	5	2	0	3	F
4	3	C	5	0	1	F	2	6	7	8	B	E	9	A	D
9	A	2	0	6	D	3	5	C	1	F	E	4	7	8	B
E	9	A	C	2	7	1	8	F	B	3	D	5	6	0	4
5	7	3	1	C	F	0	9	8	4	6	A	D	B	2	E
6	D	4	B	A	E	5	3	7	0	2	9	F	8	C	1
F	2	0	8	B	4	6	D	5	E	C	1	A	3	7	9
3	E	1	9	D	6	7	F	A	5	4	8	C	2	B	0
0	4	B	2	3	5	A	1	E	C	7	F	8	D	9	6
8	C	6	7	9	2	4	E	D	3	B	0	1	A	F	5
D	F	5	A	8	B	C	0	1	2	9	6	7	4	E	3

10

D	1	F	A	3	2	8	C	4	7	9	6	E	5	0	B
3	8	6	E	4	0	D	A	2	5	C	B	9	F	7	1
B	4	2	C	E	9	5	7	8	0	1	F	6	D	A	3
0	5	7	9	B	6	F	1	E	D	3	A	8	4	C	2
1	2	4	D	F	E	C	9	B	A	7	8	0	6	3	5
7	3	B	5	A	4	1	D	9	C	6	0	2	E	8	F
F	C	0	8	6	3	2	5	1	4	D	E	7	9	B	A
E	A	9	6	8	B	7	0	F	2	5	3	D	C	1	4
A	9	1	2	0	5	4	F	D	6	B	C	3	7	E	8
C	B	D	F	7	1	E	3	0	8	4	5	A	2	6	9
6	E	8	3	C	D	9	B	A	F	2	7	4	1	5	0
4	0	5	7	2	A	6	8	3	1	E	9	C	B	F	D
2	7	3	1	9	F	A	E	C	B	0	4	5	8	D	6
5	D	C	B	1	8	0	4	6	E	A	2	F	3	9	7
9	F	A	4	5	C	B	6	7	3	8	D	1	0	2	E
8	6	E	0	D	7	3	2	5	9	F	1	B	A	4	C

11

9	F	0	8	7	6	D	C	2	B	1	A	5	3	4	E
E	3	D	C	A	0	4	2	F	8	5	6	B	1	9	7
4	5	6	B	9	8	E	1	7	3	D	C	2	0	A	F
2	1	7	A	F	3	B	5	9	E	0	4	D	C	8	6
1	9	4	6	3	D	5	8	A	2	7	0	C	E	F	B
0	7	3	F	6	9	A	E	B	5	C	8	1	D	2	4
C	E	B	5	2	4	7	F	1	9	3	D	A	8	6	0
A	2	8	D	C	1	0	B	4	F	6	E	3	5	7	9
3	A	9	0	8	B	1	7	E	D	F	2	4	6	C	5
5	4	C	2	E	F	6	A	8	1	9	B	0	7	3	D
6	D	E	1	4	5	3	9	C	0	A	7	F	2	B	8
8	B	F	7	D	C	2	0	5	6	4	3	9	A	E	1
7	6	1	4	5	2	8	3	D	C	B	9	E	F	0	A
D	0	2	9	B	E	F	6	3	A	8	5	7	4	1	C
B	8	5	3	1	A	C	4	0	7	E	F	6	9	D	2
F	C	A	E	0	7	9	D	6	4	2	1	8	B	5	3

12

C	7	F	E	2	6	8	A	3	1	D	9	5	4	B	0
3	D	1	9	5	4	B	C	E	F	6	0	8	A	7	2
8	A	0	2	F	1	9	E	5	B	4	7	D	3	C	6
B	5	4	6	0	D	3	7	A	8	2	C	E	1	9	F
1	4	E	8	B	9	A	F	2	5	7	6	0	D	3	C
A	B	2	D	3	5	C	8	F	0	1	E	4	7	6	9
F	3	C	5	6	0	7	D	8	A	9	4	1	2	E	B
0	9	6	7	E	2	1	4	B	D	C	3	A	8	F	5
6	E	7	A	1	3	5	B	C	4	0	2	9	F	D	8
9	8	D	0	A	E	2	6	1	7	F	B	C	5	4	3
2	F	B	4	8	C	D	9	6	E	3	5	7	0	A	1
5	1	3	C	4	7	F	0	D	9	A	8	6	B	2	E
E	6	8	B	7	A	4	3	0	C	5	F	2	9	1	D
D	C	A	F	9	B	E	5	4	2	8	1	3	6	0	7
7	0	5	1	D	F	6	2	9	3	E	A	B	C	8	4
4	2	9	3	C	8	0	1	7	6	B	D	F	E	5	A

13

D	1	2	5	9	3	8	0	C	F	7	6	4	B	A	E
0	F	C	4	D	2	A	E	1	3	5	B	7	6	9	8
E	B	A	6	F	C	5	7	9	D	4	8	0	3	1	2
8	3	9	7	1	6	B	4	A	0	2	E	F	D	C	5
A	0	B	F	7	9	6	D	8	C	1	4	E	2	5	3
6	9	E	C	5	A	2	1	B	7	D	3	8	4	0	F
2	7	D	8	C	4	E	3	F	A	0	5	6	1	B	9
1	4	5	3	0	B	F	8	6	9	E	2	A	7	D	C
C	D	6	B	4	E	7	2	0	1	F	9	5	8	3	A
7	2	4	0	3	5	9	B	E	8	C	A	1	F	6	D
F	E	3	A	8	1	0	6	4	5	B	D	9	C	2	7
5	8	1	9	A	F	D	C	2	6	3	7	B	0	E	4
4	5	0	1	B	D	3	A	7	2	9	F	C	E	8	6
3	6	8	E	2	0	1	F	5	4	A	C	D	9	7	B
9	C	7	D	E	8	4	5	3	B	6	0	2	A	F	1
B	A	F	2	6	7	C	9	D	E	8	1	3	5	4	0

14

1	A	D	8	6	3	2	9	0	5	B	7	C	E	4	F
E	C	6	5	B	F	7	1	3	8	4	A	2	D	9	0
2	7	4	9	A	E	C	0	F	6	1	D	8	5	3	B
3	B	F	0	5	8	D	4	9	E	2	C	1	A	7	6
C	1	2	A	E	B	F	D	7	3	0	4	6	9	5	8
9	3	0	4	8	2	1	5	E	B	6	F	A	7	D	C
5	F	8	E	7	6	9	C	A	2	D	1	B	4	0	3
6	D	7	B	4	A	0	3	8	C	9	5	E	2	F	1
4	9	5	F	0	C	E	8	2	D	7	B	3	6	1	A
A	6	C	3	D	1	B	2	4	9	5	8	F	0	E	7
B	8	1	D	3	9	A	7	6	F	E	0	5	C	2	4
0	2	E	7	F	4	5	6	C	1	A	3	9	8	B	D
D	E	A	6	9	0	3	F	B	4	8	2	7	1	C	5
8	4	B	C	1	D	6	E	5	7	F	9	0	3	A	2
7	0	3	1	2	5	8	B	D	A	C	E	4	F	6	9
F	5	9	2	C	7	4	A	1	0	3	6	D	B	8	E

15

6	5	7	B	0	9	1	4	F	8	3	E	D	C	2	A
C	2	1	0	6	E	A	8	D	4	9	B	3	5	7	F
8	F	9	D	2	7	5	3	C	A	1	0	4	B	6	E
3	A	E	4	C	F	D	B	6	2	7	5	9	1	8	0
E	3	5	C	A	4	7	0	B	9	8	D	2	6	F	1
B	7	4	A	1	C	8	2	0	F	E	6	5	9	D	3
9	8	D	1	5	6	E	F	7	3	A	2	B	4	0	C
0	6	F	2	3	B	9	D	4	C	5	1	A	7	E	8
5	E	C	3	B	D	6	1	8	7	4	F	0	2	A	9
4	B	6	7	8	A	F	9	3	0	2	C	1	E	5	D
F	D	2	9	7	0	C	5	E	1	6	A	8	3	4	B
1	0	A	8	4	3	2	E	5	B	D	9	6	F	C	7
2	1	B	E	9	5	0	C	A	D	F	4	7	8	3	6
A	9	8	6	F	2	4	7	1	E	0	3	C	D	B	5
7	C	0	F	D	1	3	6	2	5	B	8	E	A	9	4
D	4	3	5	E	8	B	A	9	6	C	7	F	0	1	2

16

5	3	4	7	2	6	C	F	D	B	8	1	E	9	0	A
C	9	E	6	A	1	0	7	2	4	5	3	8	F	D	B
B	D	2	F	8	5	9	E	A	6	0	C	4	3	7	1
0	A	8	1	4	3	B	D	7	E	F	9	2	C	5	6
E	C	9	8	F	0	4	3	B	A	6	D	1	5	2	7
3	0	1	4	7	B	D	5	9	2	E	8	C	A	6	F
A	6	B	5	1	2	E	C	3	7	4	F	D	8	9	0
7	2	F	D	9	A	6	8	0	1	C	5	B	E	4	3
4	E	C	9	0	F	A	1	6	5	3	2	7	D	B	8
2	7	D	3	5	9	8	B	C	F	A	0	6	4	1	E
6	8	A	0	D	E	3	4	1	9	B	7	F	2	C	5
F	1	5	B	6	C	7	2	4	8	D	E	3	0	A	9
1	F	3	2	B	7	5	0	E	D	9	4	A	6	8	C
9	4	0	A	E	8	2	6	F	C	7	B	5	1	3	D
D	5	7	C	3	4	F	A	8	0	1	6	9	B	E	2
8	B	6	E	C	D	1	9	5	3	2	A	0	7	F	4

17

7	A	E	6	B	4	C	9	2	0	1	F	8	3	5	D
C	4	2	8	0	3	D	7	6	5	9	E	F	A	1	B
3	5	D	B	6	F	A	1	C	7	8	4	9	2	0	E
0	1	9	F	2	E	8	5	B	3	A	D	6	7	C	4
5	D	C	0	F	9	B	E	1	8	7	3	2	4	A	6
9	3	A	7	8	C	5	6	D	E	4	2	1	F	B	0
B	2	4	E	3	1	0	D	F	A	6	5	C	9	8	7
8	6	F	1	7	2	4	A	9	B	C	0	3	D	E	5
4	F	1	D	9	0	3	C	A	6	B	7	5	E	2	8
2	B	5	9	1	8	7	4	0	F	E	C	D	6	3	A
E	8	7	A	5	D	6	F	4	2	3	1	0	B	9	C
6	C	0	3	E	A	2	B	8	D	5	9	4	1	7	F
F	9	3	4	A	7	E	0	5	C	2	6	B	8	D	1
D	7	B	5	C	6	1	8	3	9	F	A	E	0	4	2
1	E	8	2	D	5	F	3	7	4	0	B	A	C	6	9
A	0	6	C	4	B	9	2	E	1	D	8	7	5	F	3

18

D	E	F	5	7	0	8	2	3	4	A	C	B	1	6	9
8	6	0	3	A	1	C	5	B	D	E	9	4	7	F	2
A	7	2	1	B	D	9	4	F	0	8	6	C	3	5	E
B	4	9	C	6	F	E	3	2	7	1	5	D	0	8	A
E	C	1	6	D	4	A	7	5	3	0	8	2	F	9	B
9	F	4	7	2	E	0	C	D	6	B	A	1	8	3	5
3	8	D	A	5	6	B	F	1	C	9	2	E	4	0	7
5	0	B	2	3	8	1	9	4	E	7	F	A	D	C	6
7	A	3	0	1	5	F	B	C	8	6	4	9	2	E	D
C	1	5	E	0	7	D	A	9	2	F	3	6	B	4	8
4	2	6	D	8	9	3	E	0	1	5	B	F	A	7	C
F	9	8	B	4	C	2	6	E	A	D	7	0	5	1	3
0	3	7	9	E	2	4	1	8	B	C	D	5	6	A	F
1	D	A	F	C	B	7	0	6	5	3	E	8	9	2	4
6	B	C	4	F	A	5	8	7	9	2	0	3	E	D	1
2	5	E	8	9	3	6	D	A	F	4	1	7	C	B	0

19

7	8	9	3	B	5	A	6	2	4	C	0	F	1	D	E
1	D	B	A	4	2	7	E	9	8	F	6	3	C	5	0
0	F	6	5	D	1	9	C	A	B	3	E	4	2	7	8
4	2	C	E	F	0	8	3	D	7	1	5	6	9	A	B
A	B	2	F	0	4	5	1	6	D	7	3	C	E	8	9
8	5	3	C	6	F	B	A	1	9	E	2	7	D	0	4
D	6	E	7	8	C	2	9	0	F	4	A	B	3	1	5
9	1	0	4	3	D	E	7	8	C	5	B	A	6	F	2
3	7	A	1	5	6	D	0	C	E	8	4	9	B	2	F
B	4	8	2	9	7	C	F	5	3	A	D	E	0	6	1
C	0	D	9	1	E	4	8	B	6	2	F	5	7	3	A
F	E	5	6	A	B	3	2	7	1	0	9	8	4	C	D
2	3	4	0	C	8	1	5	E	A	B	7	D	F	9	6
E	9	1	B	7	A	0	D	F	5	6	C	2	8	4	3
5	C	F	8	E	9	6	4	3	2	D	1	0	A	B	7
6	A	7	D	2	3	F	B	4	0	9	8	1	5	E	C

20

2	F	5	B	D	1	4	A	3	7	8	6	E	9	C	0
D	3	C	6	F	7	9	B	2	1	E	0	8	A	5	4
4	7	0	A	6	3	E	8	B	C	5	9	1	F	D	2
1	8	E	9	2	C	0	5	4	D	A	F	6	B	7	3
5	0	F	2	4	E	8	D	A	B	9	7	3	C	6	1
E	A	B	D	9	6	F	7	1	0	C	3	2	8	4	5
3	1	7	4	B	2	5	C	6	8	D	E	9	0	F	A
6	C	9	8	A	0	3	1	F	5	4	2	D	7	B	E
9	2	A	7	8	5	1	F	E	6	3	B	C	4	0	D
8	4	3	5	0	B	6	E	D	A	1	C	F	2	9	7
C	B	1	F	3	9	D	4	7	2	0	5	A	6	E	8
0	D	6	E	C	A	7	2	8	9	F	4	5	1	3	B
A	6	4	1	E	F	2	0	9	3	B	D	7	5	8	C
7	9	D	0	5	4	A	3	C	F	2	8	B	E	1	6
F	5	8	C	1	D	B	6	0	E	7	A	4	3	2	9
B	E	2	3	7	8	C	9	5	4	6	1	0	D	A	F

credits & resources

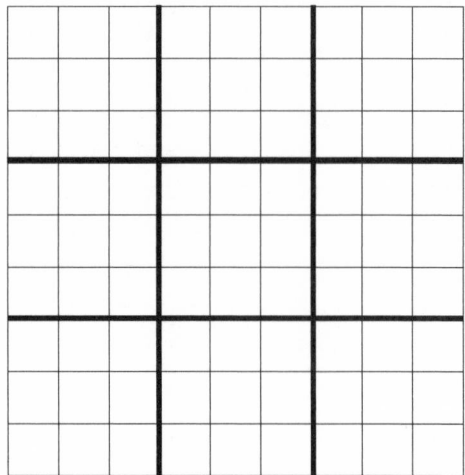

On the opposite page are details of the individuals

and organizations who contributed to this book.

Overleaf you will find a number of interesting

resources for the Sudoku addict.

Credits

Colin Yarnall, who wrote the introduction to this book and the chapters on how to solve a sudoku puzzle and solving a sudoku puzzle – a step-by-step guide, is a software engineer by profession. He has had a strong interest in puzzles since his teenage years, when he was enthralled by the Rubik's Cube of the 1980s. Over the years, he has designed a number of mechanical puzzles, including some which are of a similar complexity to the cube. His interest in Sudoku was awakened when he saw the puzzle described on television. This inspired him to write software to both generate and solve these puzzles. In the process he discovered the techniques required to manually solve Sudoku puzzles, which he shares with readers of this book.

The Super Sudoku puzzles in this book are generated by **Sudoku Syndication**, a company that specialises in creating traditional Sudoku puzzles and other variations on the game. They can be found on the internet at the following address: www.sudokusolver.com/syndication/

Resources

Sudoku Puzzles (www.menneske.no./sudoku/eng) An online database of millions of puzzles, organised by difficulty and symmetry.

Sudoku.com (www.sudoku.com) Gives advice on solving puzzles, has online contests and much more.

Sudoku Fun (www.sudokufun.com) A daily speed challenge for Sudoku players. Includes a leaderboard of the fastest times.

Live Journal – Sudoku Community (www.livejournal.com/community/sudoku) Sudoku addicts from around the world join together to post opinions on the game and to exchange advice.

Sudoku Forums (www.sudoku.com/forums/) Discuss Sudoku-related topics with fellow addicts!

Sudoku Programming Forum (www.setbb.com/phpbb) Gives an insight into how Sudoku puzzles are generated.